CW00643945

Analisi delle relazioni di revisione delle società quotate alla
BM&FBovespa

Camile Kohl
Daniéli J. Linck
Camila F. Sant'Ana

Analisi delle relazioni di revisione delle società quotate alla BM&FBovespa

Analisi delle relazioni di revisione modificate contenute nei bilanci delle società quotate alla BM&FBovespa

ScienciaScripts

Cover image: www.ingimage.com

This book is a translation from the original published under ISBN 978-613-9-60751-8.

Publisher:
Sciencia Scripts
is a trademark of
Dodo Books Indian Ocean Ltd. and OmniScriptum S.R.L publishing group

120 High Road, East Finchley, London, N2 9ED, United Kingdom
Str. Armeneasca 28/1, office 1, Chisinau MD-2012, Republic of Moldova, Europe

ISBN: 978-620-7-30176-8

SOMMARIO

L'obiettivo dello studio è stato quello di identificare i fattori più frequenti che motivano l'emissione di relazioni di revisione modificate in relazione ai bilanci presentati dalle società quotate al BM&FBovespa. A tal fine, il metodo di ricerca utilizzato si caratterizza come descrittivo, con un approccio qualitativo, utilizzando la ricerca documentale. Il campione è costituito da 93 società quotate alla BM&FBovespa, che hanno ricevuto relazioni di revisione con giudizi modificati in relazione ai bilanci degli anni base 2013, 2014 e 2015, per cui i dati sono stati analizzati utilizzando l'analisi del contenuto. I risultati della ricerca mostrano che i principali fattori che hanno portato all'emissione di relazioni di revisione modificate sono i problemi nell'applicazione dei test di recuperabilità delle attività, le incongruenze nei saldi e nei valori degli obblighi fiscali e lavorativi (sociali), la mancanza di conferme esterne, i problemi di sottovalutazione delle passività, i problemi di rilevazione e riclassificazione dei conti contabili, l'esistenza di processi di recupero giudiziario, le perdite accumulate e le passività in eccesso. Va sottolineato che questi fattori fanno sì che i revisori dubitino della capacità dell'azienda di continuare a operare come un'impresa in funzionamento, emettendo quindi relazioni modificate sotto forma di relazioni con rilievi, avverse o di astensione.

Parole chiave: Relazione di revisione; Parere di revisione; Parere con modifica; BM&FBOVESPA.

SOMMARIO

CAPITOLO 1

INTRODUZIONE

La Borsa di San Paolo (Bovespa) è stata la borsa ufficiale del Brasile fino alla fusione con la BM&F a metà del 2008; da allora la borsa si chiama São Paulo Stock, Commodities and Futures Exchange - BM&FBovespa ed è responsabile di tutte le negoziazioni sul mercato azionario brasiliano. Le società quotate alla BMF&Bovespa si caratterizzano come società per azioni, il cui obiettivo è quello di negoziare le proprie azioni (partecipazione al capitale della società) sul mercato internazionale, proponendosi quindi di rispettare obblighi che vanno oltre quelli previsti dalla legge, ossia sottoporsi a regole rigorose su questioni che comprendono la corporate governance e le norme imposte dalla Securities and Exchange Commission - CVM, secondo i dati estratti dal sito web della BM&FBovespa.

L'Istituto Brasiliano di Corporate Governance (IBGC) definisce la corporate governance come il sistema con cui le aziende e le altre organizzazioni sono dirette, monitorate e incoraggiate, coinvolgendo le relazioni tra gli azionisti, il consiglio di amministrazione, la direzione, i revisori indipendenti e le altre parti interessate, aumentando il valore dell'azienda e facilitando l'accesso alle informazioni di base e migliorando di conseguenza il sistema di gestione.

Gli aspetti di corporate governance sono richiesti alle società quotate in borsa perché cercano di migliorare la valutazione, la divulgazione e la gestione delle società che aderiscono volontariamente a un segmento della borsa. Poiché la Borsa mira a garantire i diritti e le garanzie degli azionisti e la divulgazione delle informazioni delle società quotate in modo completo agli utenti esterni di tali informazioni, riducendo i rischi di mercato.

Pertanto, le società quotate alla BM&FBovespa, in virtù dei requisiti legali relativi alla borsa, sono obbligate a sottoporre i loro bilanci e la loro contabilità a una revisione contabile annuale indipendente, che viene effettuata da un revisore contabile indipendente debitamente registrato presso il CVM, come evidenziato dalla Legge

3

11.638/07 - Legge brasiliana sulle società, con l'obiettivo di esprimere un parere indipendente sul fatto che i bilanci di queste società siano stati redatti e pubblicati in conformità con la relazione finanziaria applicabile, ossia redatti in conformità con le norme, le leggi, i principi e i regolamenti in vigore a livello nazionale.

Grazie al modello di corporate governance adottato, nonché all'obbligo di revisione contabile indipendente per le società quotate alla BMF&Bovespa, il management, i soci, gli azionisti e gli altri utenti delle informazioni hanno una maggiore certezza sui bilanci pubblicati, con un'effettiva partecipazione e conoscenza della società.

Dato che le relazioni di revisione garantiscono che le informazioni pubblicate nel bilancio della società siano redatte con qualità e affidabilità, presentando correttamente il patrimonio e le finanze della società, queste informazioni possono essere prese in considerazione nel processo decisionale.

1.1 Presentazione e contestualizzazione del tema

Il mercato azionario è cresciuto parallelamente all'adozione del nuovo mercato, che è un segmento in cui le società si sono impegnate ad adottare buone pratiche di corporate governance. Di conseguenza, gli azionisti hanno cercato di informarsi sempre di più sulla situazione finanziaria e patrimoniale della società in cui investono, poiché queste informazioni sono diventate più accessibili, trasparenti e affidabili, oltre che di qualità superiore.

Alla luce di ciò, va sottolineato che la contabilità contiene tutte le informazioni relative alle aziende, trasformandole in rendiconti contabili che aiuteranno il lavoro degli utenti interni ed esterni della contabilità. Di conseguenza, la qualità delle informazioni contabili è diventata essenziale per il processo decisionale, sia da parte della direzione aziendale che degli azionisti e degli investitori.

Partendo da questo presupposto, va sottolineato che la revisione contabile contribuisce alla qualità delle informazioni generate e dei processi quotidiani delle aziende, verificando le procedure adottate dalle stesse, garantendo il miglioramento dei controlli interni e la qualità delle informazioni finanziarie, patrimoniali ed economiche registrate.

In questo senso, si può dedurre che la Legge 11.638/2007 - la Legge sulle Società - ha obbligato le società presenti in borsa a essere sottoposte a revisione contabile da parte di un revisore indipendente, garantendo un miglioramento dell'informazione contabile. A questo proposito, va sottolineato che la revisione contabile indipendente è l'insieme delle procedure tecniche sui rendiconti contabili con lo scopo di emettere una relazione sulla loro adeguatezza per la relazione finanziaria applicabile.

La qualità della preparazione e della divulgazione del bilancio, cioè i controlli interni e la qualità del lavoro di revisione, si basa sulla qualità delle informazioni contabili. La revisione contabile indipendente è diventata così importante perché analizza e garantisce che i bilanci presentino in modo affidabile le informazioni rilevanti per gli utenti interni ed esterni della contabilità.

È quindi importante analizzare le relazioni di revisione, o popolarmente note come pareri di revisione, emesse dai revisori indipendenti alle società che operano sul mercato azionario brasiliano. Le relazioni di revisione con giudizi modificati sono quelle emesse quando il revisore indipendente si imbatte in distorsioni materiali nei bilanci, in cui vengono identificati i conti contabili, le note esplicative e/o le procedure adottate dalle società che non erano conformi ai principi contabili, alle leggi, ai principi e ai regolamenti. Ciò implica l'opinione del revisore che i bilanci pubblicati dalle società non riflettono di per sé la realtà patrimoniale, economica e finanziaria della società.

Quando una società riceve una relazione di revisione di natura modificata, gli utilizzatori interni ed esterni del bilancio della società vengono a conoscenza del fatto che i fatti presentati dalla società sottoposta a revisione contengono problemi che potrebbero influenzare i risultati comunicati dalla società, un fatto che potrebbe aiutare, ad esempio, gli investitori e gli azionisti a decidere se investire o meno nell'acquisto delle azioni della società.

5

Pertanto, la revisione contabile indipendente è considerata uno dei principali pilastri responsabili dell'armonizzazione del funzionamento dei mercati dei capitali, in quanto contribuisce a rafforzare la liquidità delle borse, oltre a determinare la necessità per le società sottoposte a revisione di divulgare informazioni affidabili, le cui informazioni fungono automaticamente da base per orientare il processo decisionale dei diversi tipi di utenti delle informazioni (PINHEIRO, LOPES, MARTINS, 2005).

La revisione contabile indipendente si caratterizza in questo senso come un ruolo fondamentale nella comunicazione di informazioni rilevanti agli utenti delle informazioni contabili e al mercato, in quanto li informa di problemi imminenti rilevati dai revisori e dalle società di revisione indipendenti nella contabilità e nei bilanci dei loro clienti (DEFOND; AGHUNANDAN; SUBRAMNY, 2002).

L'oggetto di studio di questo progetto di ricerca è stato l'analisi della relazione di revisione emessa dalla società di revisione che ha revisionato i bilanci delle società quotate su BM&FBovespa.FBovespa, dove l'attenzione si è concentrata sulle relazioni con giudizio modificato, in quanto tale relazione viene emessa a seguito dell'osservazione di distorsioni rilevanti riscontrate nell'insieme dei bilanci, stato patrimoniale, conto economico dell'esercizio, note esplicative, prospetto delle variazioni del patrimonio netto, rendiconto dei flussi di cassa, prospetto del valore aggiunto, prospetto dei profitti o delle perdite cumulati e prospetto del reddito complessivo, al fine di individuare le principali ragioni dell'emissione di un giudizio modificato.

Identificando i fattori che determinano il giudizio modificato sui bilanci da parte dei revisori, i manager delle società possono capire dove i loro controlli interni sono carenti, aumentando la cura nella preparazione dei bilanci ed evitando un giudizio modificato, così come gli azionisti e gli investitori.

1.2 Definizione del problema

Tenendo conto della contestualizzazione dell'argomento, va notato che il revisore può trovare diversi difetti nei bilanci nella loro rispettiva struttura di

6

presentazione, che può andare dalla registrazione delle transazioni al rispettivo saldo finale.

In generale, queste mancanze possono riguardare l'attivo corrente, l'attivo non corrente, il passivo corrente, il passivo non corrente, il patrimonio netto, il conto economico dell'esercizio, i ricavi, i costi, la nota integrativa, gli accantonamenti, che possono alterare il patrimonio e i risultati finanziari dell'azienda sovrastimandoli o sottovalutandoli, applicando procedure contabili non corrette e anche non rispettando la legge.

Sulla base delle possibilità di fallimento che possono portare all'emissione di una relazione modificata, è stata sviluppata la seguente domanda di ricerca: **quali sono i fattori più frequenti che motivano l'emissione di relazioni di revisione modificate in relazione ai bilanci presentati dalle società quotate alla BM&FBovespa?**

1.3 Obiettivi

L'obiettivo è quello di analizzare le relazioni di revisione delle società quotate alla BM&FBovespa che, dopo aver verificato il bilancio, hanno emesso un giudizio con modifica. A tal fine, la ricerca è suddivisa in obiettivi generali e specifici.

1.3.1 Obiettivo generale

Analizzare i fattori più frequenti che motivano l'emissione di relazioni di revisione modificate in relazione ai bilanci presentati dalle società quotate alla BM&FBovespa.

1.3.2 Obiettivi specifici

Per raggiungere l'obiettivo generale della ricerca, è stato necessario affrontare i seguenti obiettivi specifici:

a) identificare le relazioni con opinioni modificate nelle società quotate al BM&FBovespa.

b) classificare le relazioni modificate come con rilievi, avverse o con

7

l'astensione dal giudizio.

c) per accertare i fattori citati come base del giudizio del revisore indipendente per l'emissione di una relazione modificata.

d) analizzare i fattori più frequenti che motivano l'emissione di relazioni di revisione modificate nelle società quotate alla BM&FBovespa.

1.4 Giustificazione

Questo studio è giustificato dall'importanza di analizzare le relazioni di revisione delle società quotate alla BMF&Bovespa, dato che identificando i fattori principali, o più frequenti, esse saranno in grado di riorganizzare i loro controlli interni e i metodi di preparazione dei bilanci. Sarà importante anche per gli azionisti e gli investitori, che saranno in grado di identificare i principali errori delle società e i punti in cui possono migliorare, contribuendo a valorizzare il servizio di contabilità che, sulla base di questa ricerca, sarà in grado di migliorare la qualità delle informazioni, aiutando la contabilità a divulgare informazioni in conformità con la legge.

La ricerca è giustificata anche dal fatto che l'argomento è poco dibattuto a livello nazionale, dato che le ricerche effettuate su studi precedenti hanno restituito pochi studi sull'argomento.

L'argomento proposto è importante per aiutare gli utilizzatori delle informazioni sulla veridicità della situazione finanziaria e patrimoniale delle società analizzate, attraverso il bilancio, aiutando nel processo decisionale, in particolare per gli investitori, perché attraverso la relazione di revisione si può affermare la possibile cessazione delle attività della società, mettendoli in guardia da investimenti che potrebbero trasformarsi in perdite.

In termini accademici, questa ricerca si giustifica perché può essere utilizzata come base per nuovi studi scientifici, con l'obiettivo di effettuare ricerche su questioni legate all'emissione di relazioni di revisione, nell'ambito delle quali questo studio sarà disponibile nella biblioteca di questa università, dove ogni studente o laureato potrà avere accesso, come strumento per avviare lo studio dell'evoluzione dei giudizi delle società analizzate in questa ricerca, che potrebbero avere la loro relazione di revisione senza riserve nei prossimi esercizi, consentendo di confrontare le procedure adottate dall'organizzazione per raggiungere questo obiettivo e anche di essere utilizzate da altre società che si sottopongono a revisioni indipendenti, ma che non sono quotate sul BMF&Bovespa, confrontando le relazioni emesse, analizzando le differenze e le uguaglianze in esse, utilizzandole come strumento di miglioramento continuo delle procedure adottate dall'azienda in relazione ai propri bilanci.

La natura personale di questo lavoro è giustificata dall'interesse di ampliare la conoscenza di questo argomento, che ha generato un'enorme curiosità da parte dei ricercatori. È stata scelta la revisione contabile perché coinvolge tutte le altre aree contabili, in quanto il revisore deve analizzare i rendiconti e verificare se in essi si riscontrano distorsioni, giustificando se tali fatti e registrazioni sono rilevanti, irrilevanti, generalizzati o meno. Sono state scelte le società del BMF&Bovespa perché tutte le informazioni necessarie sono disponibili sul sito web della Borsa, oltre che su quello dell'MCV, e anche perché di solito si tratta di società di grandi dimensioni, dove si presume che i bilanci siano presentati in modo più completo, fornendo più informazioni qualificabili e quantificabili. Questo studio è giustificato anche dal fatto che è uno dei requisiti minimi per ottenere una laurea in Contabilità.

CAPITOLO 2

QUADRO TEORICO

Questo capitolo tratterà dello studio documentale utilizzato per realizzare questo lavoro, in cui verranno spiegati i concetti di revisione contabile, concentrandosi sulle revisioni indipendenti, dato che il progetto è finalizzato all'analisi delle relazioni modificate delle società quotate alla BMF&Bovespa.

2.1 Revisione contabile

La revisione contabile è stata molto importante per verificare la qualità dei bilanci. Questa branca della contabilità è cresciuta e si è sviluppata quotidianamente, diventando un settore sempre più complesso che merita di essere studiato.

Secondo Alberton (2002), la revisione contabile è emersa in Inghilterra, Olanda e Stati Uniti nel XIX secolo, motivata dalla crescita delle imprese e dall'interesse economico delle grandi aziende.

A conferma di ciò, Attie (2009) ha messo in relazione la nascita della revisione contabile con la necessità di confermare la realtà economico-finanziaria del patrimonio aziendale e con l'emergere di grandi aziende che generavano sviluppo economico e partecipavano al capitale di altre società.

Attie (1992, p. 34) sottolinea inoltre che i principali fattori che hanno determinato la crescita della revisione contabile in Brasile sono stati:

> Filiali e sussidiarie di imprese straniere; finanziamento delle imprese brasiliane attraverso entità internazionali; crescita delle imprese brasiliane e necessità di decentralizzare e diversificare le loro attività economiche; evoluzione del mercato dei capitali; creazione di standard di revisione contabile promulgati dalla Banca Centrale del Brasile nel 1972; creazione della commissione per i titoli e della legge sulle società per azioni nel 1976.

In questo modo, la revisione contabile ha iniziato a diventare visibile in Brasile grazie alla creazione di società di revisione esterne, che hanno cercato di stabilirsi nel Paese per la necessità di questo tipo di servizio, evidenziata dall'esigenza legale di monitorare gli investimenti dall'estero, che erano in forte crescita (PEREZ JUNIOR et al, 2011).

Per quanto riguarda l'obiettivo, Araújo, Arruda e Barreto (2008) sottolineano che la revisione contabile è la tecnica contabile che applica le procedure previste dagli standard professionali, il cui scopo è quello di emettere un parere professionale indipendente sul bilancio.

La revisione contabile è definita come la specializzazione dell'area contabile, relativa alla verifica dell'efficienza e dell'efficacia del controllo delle attività, con l'obiettivo di esprimere un giudizio sul bilancio in un determinato momento (ATTIE, 1998).

Sulla base del concetto di revisione contabile, il revisore contabile deve conoscere gli attributi minimi per svolgere il proprio lavoro, al fine di giungere a una conclusione appropriata, priva di errori e utile per la direzione della società sottoposta a revisione.

Quando effettua la revisione contabile di un'azienda, il revisore deve essere attento e zelante nell'esecuzione del lavoro e nella diffusione del proprio parere, sempre imparziale, oltre a padroneggiare la conoscenza specifica e generale dell'azienda sottoposta a revisione (ALMEIDA, 1996).

Secondo Crepaldi (2013), dopo aver esaminato il bilancio, il revisore è in grado di esprimere un giudizio sulla sua correttezza e di garantire che esso rappresenti in modo coerente la situazione finanziaria, il patrimonio, il risultato economico e le fonti e gli impieghi dei fondi per il periodo esaminato.

Tenendo conto di ciò, il revisore è in grado di rilevare le falle attraverso il controllo applicato nelle aree chiave dell'azienda, evitando situazioni favorevoli a frodi, appropriazioni indebite e corruzione attraverso i test di revisione. La revisione contabile è quindi vista come una tecnica di controllo utilizzata dalle aziende per salvaguardare il proprio patrimonio (CREPALDI; CREPALDI, 2016).

Alla luce di ciò, va sottolineato che le revisioni contabili sono utilizzate per misurare la qualità dei controlli interni e dei bilanci. Tuttavia, la revisione contabile è suddivisa in revisione interna, esterna e indipendente, che vengono presentate nelle sezioni seguenti.

2.1.1 Audit interno

In relazione all'internal auditing, esso si concentra sull'analisi dei controlli interni delle aziende, verificando l'efficienza e l'efficacia delle procedure interne svolte all'interno dell'organizzazione. Secondo Attie (1987), l'internal auditing ha una funzione di valutazione indipendente, è situato all'interno dell'azienda e mira a valutare le sue attività e i servizi della stessa istituzione.

Secondo Motta (1992), gli audit interni sono svolti da uno o più dipendenti del dipartimento di controllo interno dell'azienda, con l'obiettivo di verificare, valutare e stabilire l'attuazione e la qualità delle regole e delle procedure interne attuate nell'ambiente aziendale, evitando possibili frodi e perdite del patrimonio dell'organizzazione.

A completamento di ciò, Araújo, Arruda e Barreto (2008) sottolineano che, poiché l'audit interno è svolto da dipendenti dell'azienda sottoposta a revisione, si può parlare di parziale indipendenza e che, oltre a occuparsi di informazioni contabili, si occupa anche di aspetti operativi. Di solito viene utilizzato per consigliare la direzione dell'azienda.

2.1.2 Audit esterno

La revisione contabile esterna è l'accertamento dei fatti da parte di un professionista contabile senza alcun legame, intervento o censura con l'azienda sottoposta a revisione (SÁ, 2002). In altre parole, il revisore esterno non deve avere alcun legame con l'azienda e spetta a quest'ultima concedergli l'autonomia necessaria per svolgere il proprio lavoro, fornendogli tutte le informazioni necessarie per redigere un parere corretto e coerente con la reale situazione finanziaria, patrimoniale e reddituale dell'azienda.

12

Secondo Motta (1992), a differenza delle revisioni interne, le revisioni esterne sono condotte da uno o più professionisti indipendenti, che devono essere assunti dalla società sottoposta a revisione. Il loro obiettivo principale è quello di garantire che i bilanci presentino la situazione reale della società.

La responsabilità di effettuare la revisione contabile esterna spetta a professionisti che non hanno alcun legame con la direzione aziendale. Una società di revisione viene solitamente incaricata di emettere un parere indipendente basato su standard tecnici, analizzando l'adeguatezza o meno dei bilanci (ARAÚJO; ARRUDA; BARRETO, 2008).

Il revisore esterno è percepito come una persona che non ha alcun legame con la società sottoposta a revisione e che utilizza l'obiettivo della revisione esterna per analizzare i bilanci ed emettere un parere indipendente. Secondo Attie (2009), l'obiettivo della revisione contabile esterna è quello di emettere un parere sul bilancio, valutando la veridicità del patrimonio e delle finanze, in conformità ai principi contabili fondamentali.

Tuttavia, secondo il Consiglio federale della contabilità (2013), l'emissione di un parere sui bilanci delle società è lo scopo della revisione esterna, in quanto è principalmente rivolta agli utilizzatori esterni dei bilanci.

Tuttavia, Lins (2014) sottolinea che lo scopo della revisione contabile esterna è quello di aumentare il grado di fiducia nei rendiconti contabili emettendo un parere sulla situazione patrimoniale, economica e finanziaria dell'entità sottoposta a revisione, chiarendo se sono stati preparati o meno in conformità ai principi contabili brasiliani e alla specifica legislazione applicabile.

Secondo Stoner e Freeman (1999), la revisione contabile esterna è un processo in cui i conti del bilancio vengono verificati e valutati in modo indipendente. Su questa base, si presume che la revisione contabile esterna aiuti a verificare la presenza di frodi all'interno dell'azienda sottoposta a revisione. Tuttavia, va sottolineato che, anche se aiuta a verificare la presenza di frodi, non è questo il suo scopo, poiché spetta alla direzione dell'azienda, sulla base dei controlli interni, prevenire e ispezionare frodi ed errori.

Per migliorare i controlli interni, le aziende private possono chiedere a una società di revisione di analizzare i loro bilanci, ma molte aziende sono obbligate ad assumere una società di revisione, generalmente perché sono aziende pubbliche o aziende i cui risultati sono di interesse comune nella sfera sociale, nonché quando sono società per azioni.

Per quanto riguarda l'importanza dell'audit esterno, Paz, Cruz e Peruzzi (2015) hanno concluso che l'audit esterno è arrivato come risposta, valutando le risorse per raggiungere gli obiettivi dell'azienda, dando ai manager maggiore sicurezza in relazione ai loro beni e verificando anche la negligenza, l'incapacità e la scorrettezza dei loro dipendenti.

L'audit esterno è noto anche come audit indipendente, in quanto entrambi hanno obiettivi e finalità comuni. Tuttavia, i concetti principali trattati esclusivamente nell'ambito dell'audit indipendente saranno menzionati nel prossimo sottogruppo.

2.2 Audit indipendente

La revisione contabile indipendente segue lo stesso percorso della revisione contabile esterna, con l'obiettivo di analizzare i bilanci per verificarne la qualità e la veridicità. Tuttavia, Araújo, Arruda e Barreto (2008) sottolineano che la revisione contabile indipendente deve essere effettuata solo da un contabile iscritto al Consiglio Regionale di Contabilità (CRC) e alla Commissione per i Titoli e gli Scambi (CVM). Consiste in procedure tecniche con l'obiettivo di emettere un parere sulla conferma dei dati con i Principi Contabili Fondamentali (PFC), gli Standard Contabili Brasiliani (NBC) e la legislazione pertinente.

Quando viene incaricato di svolgere una revisione contabile indipendente, il revisore stipula un contratto di prestazione professionale, che stabilisce la natura e l'entità del lavoro, la durata e la remunerazione richiesta, nonché i dettagli di interesse per entrambe le parti (FRANCO; MARRA, 1991).

Gli audit possono essere redatti solo sulla base di evidenze comprovate, non potendo basarsi su dati incerti e informazioni non concrete (ATTIE, 2009).

Attie (2010) sottolinea che la revisione contabile evidenzia tutti gli elementi, le forme e i metodi che contribuiscono alla stesura del parere del revisore. L'esame si basa sulla verifica di documenti, libri, registri, informazioni interne ed esterne relative al controllo delle attività e sull'accuratezza delle registrazioni e delle dichiarazioni risultanti da tali informazioni.

Un'altra osservazione interessante che il revisore deve fare è se la società assume la società di revisione di sua spontanea volontà o se è obbligata per legge a farlo.

Secondo il Consiglio federale di contabilità (2013), la legge 6.404/76 (legge sulle società per azioni), la legge 11.638/07 e la Banca centrale del Brasile stabiliscono che le società quotate in borsa, come le società per azioni, le grandi imprese e le istituzioni finanziarie devono essere sottoposte a revisione da parte di revisori esterni.

In questo senso, secondo Lins (2014) e la legislazione specifica, si definisce grande impresa quella in cui il totale delle attività supera i duecentoquaranta milioni di reais o il fatturato lordo annuale supera i trecento milioni di reais.

Le società quotate in borsa sono obbligate a far esaminare i loro bilanci da un revisore indipendente, secondo il testo pubblicato nella legge 6.404/1976, la legge brasiliana sulle società per azioni.

Pertanto, per svolgere attività di revisione contabile per società quotate e grandi imprese, il professionista della revisione esterna deve essere in possesso di un diploma di laurea in contabilità, regolarmente iscritto al CRC, e per svolgere attività di revisione contabile indipendente nel mercato dei titoli, controllando società che scambiano azioni sul mercato aperto dei capitali, deve anche essere iscritto al CVM. (FUSIGER; SILVA; CARRARO, 2015).

Spetta al revisore, che soddisfa tutti i requisiti minimi per operare nel settore, redigere la relazione di revisione indipendente, che soddisfa gli obiettivi della professione.

Secondo la NBC TA 200 (CFC, 2009, pag. 3):

> L'obiettivo della revisione contabile è quello di aumentare il grado di fiducia nel bilancio da parte degli utilizzatori", in quanto esso viene redatto per gli utilizzatori interni ed esterni. Più il bilancio è affidabile, più attirerà l'attenzione degli utilizzatori del bilancio, rivolgendosi sempre agli utilizzatori esterni, in quanto sono coloro che investono le loro risorse nell'azienda.

Secondo Ojo (2008), l'obiettivo della revisione contabile indipendente è quello di garantire che i bilanci siano stati preparati correttamente dalla direzione aziendale. A conferma di ciò, Ferreira (2009) sottolinea che l'obiettivo della revisione contabile è quello di analizzare il bilancio della società sottoposta a revisione. È responsabilità del revisore verificare quali test adottare e quale campione raccogliere per certificare il proprio parere, mentre la responsabilità della preparazione del bilancio spetta alla direzione della società sottoposta a revisione.

Come tutti i lavori, anche la revisione contabile indipendente ha i suoi limiti e Junior, Fernandes, Ranha e Carvalho (2011) hanno citato gli obiettivi del bilancio come limite del giudizio di revisione indipendente, che non garantisce la redditività futura dell'azienda e non attesta l'efficacia della gestione.

Secondo Santos, Machado e Silva (2009), la revisione contabile indipendente studia l'adeguatezza, la tempestività e la conformità dei bilanci, utilizzando come base i principi contabili fondamentali.

Dutra (2011) sottolinea che lo scopo della revisione contabile è quello di emettere un giudizio sul bilancio, che viene riportato sotto forma di giudizio di revisione, regolato dai principi di revisione previsti dal diritto societario brasiliano.

La funzione della revisione contabile, citata da Niyama e Silva (2011), è quella di proteggere gli investitori e garantire la credibilità delle informazioni contabili, riducendo i costi di agenzia e l'asimmetria informativa, allineando gli interessi di azionisti e agenti.

2.2.1 Bilancio certificato

Il Consiglio federale della contabilità, nel suo pronunciamento tecnico CPC 26 (2011), ha pubblicato che i bilanci sono quelli il cui scopo è soddisfare le esigenze informative che gli utenti esterni non possono trovare in altri tipi di relazioni.

Secondo Attie (2009), i bilanci sono fatti registrati che quantificano, classificano, dimostrano, analizzano e riportano i cambiamenti e le informazioni qualitative e quantitative sulle attività dell'entità. Pertanto, il bilancio è una

16

rappresentazione monetaria e strutturata della situazione finanziaria dell'azienda in un determinato periodo.

Secondo il Consiglio federale della contabilità, nel suo pronunciamento tecnico, CPC 00 p. 03 (2011):

> I bilanci sono preparati e presentati per gli utenti esterni in generale, in considerazione dei loro diversi scopi e delle loro diverse esigenze. I governi, gli organismi di regolamentazione o le autorità fiscali, ad esempio, possono stabilire requisiti specifici per soddisfare i propri interessi. Tali requisiti, tuttavia, non dovrebbero influenzare il bilancio redatto in conformità al presente Quadro concettuale.

Il Consiglio federale della contabilità, attraverso il CPC 00, sottolinea inoltre che l'obiettivo del bilancio è quello di fornire informazioni valide per gli investitori attuali e futuri, per i creditori e per assistere nel processo decisionale volto a fornire risorse all'entità.

In questo senso, secondo il CPC 00, l'insieme dei prospetti contabili comprende lo Stato patrimoniale (BP), il Conto economico (DRE), il Conto economico complessivo (DRA), il Prospetto degli utili a nuovo (DLPA), il Prospetto delle variazioni del patrimonio netto (DMPL), il Rendiconto finanziario (DFC), il Prospetto del valore aggiunto (DVA) e la Nota integrativa.

Per quanto riguarda il bilancio, si tratta di uno dei prospetti contabili più noti nell'ambito della contabilità, e non a caso, perché, come affermano Leite e Sanvicente (1990), è probabile che questo prospetto sia l'elemento contabile con il maggiore impatto psicologico sull'investitore con le minori conoscenze, in quanto si tratta di una relazione accurata e dettagliata, che porta la firma del contabile e degli amministratori dell'azienda ed è inoltre sottoposta a revisione contabile secondo i principi contabili.

Va sottolineato che il bilancio è il luogo in cui si verifica la situazione di tutte le attività, i diritti e gli obblighi dell'azienda in un determinato momento (MARION, 2012). Il bilancio è suddiviso in tre grandi gruppi, denominati attività, passività e patrimonio netto, in cui sono riportati i fatti economici di natura patrimoniale che influenzano l'entità delle attività (ATTIE, 2009).

Secondo Ferreira (2009), il bilancio mostra le attività, le passività e il patrimonio netto dell'azienda alla fine dell'esercizio finanziario ed è considerato un'istantanea delle

17

attività dell'azienda in un determinato momento.

Pur essendo molto importante, lo Stato Patrimoniale non presenta le entrate e le uscite sostenute durante l'anno e per questo motivo è stato creato il Conto Economico (DRE), inteso come il prospetto che presenta le entrate e le uscite dell'azienda in un determinato momento, presentato in modo deduttivo, in cui si sommano le entrate e poi si confrontano le uscite per arrivare al risultato, che può essere un utile o una perdita (IUDÍCIBUS, 2004).

Il Conto economico mostra le entrate e le uscite di un determinato periodo per evidenziare il profitto o la perdita dell'organizzazione (FERREIRA, 2009).

Così, il Consiglio federale della contabilità, attraverso il CPC 26 p. 24 (2011) sottolinea che:

> Il conto economico dell'esercizio deve includere almeno le seguenti voci, anche in conformità alle disposizioni di legge: (a) ricavi; (aa) utili e perdite derivanti dalla cancellazione di attività finanziarie valutate al costo ammortizzato; (b) costi di finanziamento; (c) quota dei risultati delle partecipazioni rilevate con il metodo del patrimonio netto; (d) imposte sul reddito;

Di conseguenza, si può dedurre che l'utile o la perdita dell'esercizio calcolati nel Conto economico appaiono nello stato patrimoniale nel gruppo del Patrimonio netto.

D'altra parte, il prospetto del reddito complessivo (SCA) può essere prodotto dopo aver estratto i dati dal conto economico e aver integrato il reddito complessivo. Secondo Lemes e Carvalho (2010), il DRA contiene i proventi e gli oneri rilevati nel patrimonio netto che non sono azioni degli azionisti. Esempi di Altri utili complessivi sono la riserva di rivalutazione, gli utili o le perdite attuariali e le operazioni con l'estero.

Santos e Schmidt (2011, p. 462) sottolineano che:

> Il DRA, oltre a presentare la movimentazione del conto rettifiche di valutazione del patrimonio netto, riporta il valore del risultato del periodo, includendo gli effetti delle rettifiche alle attività nette valutate al fair value, le rettifiche alla conversione dei bilanci, il realizzo della riserva di rivalutazione e gli utili e le perdite attuariali sui piani a benefici per i dipendenti, ottenendo così il risultato complessivo del periodo.

Il prospetto del conto economico complessivo è quindi complementare al prospetto del conto economico dell'esercizio, in quanto, oltre a indicare i ricavi e i costi del periodo, mostra anche il conto economico complessivo.

18

Per quanto riguarda il prospetto degli utili o delle perdite portati a nuovo (DLPA), le variazioni nel conto degli utili o delle perdite portati a nuovo devono essere riportate in un prospetto separato, che è il DLPA. Lo scopo di questo prospetto è quello di mostrare l'utile netto del periodo e la sua distribuzione, l'aumento del capitale sociale, l'aumento o la creazione di riserve, la compensazione di perdite precedenti e mostra anche le perdite accumulate (REIS, 2009).

Secondo Ferreira (2009), il Conto economico presenta la variazione dell'utile o della perdita rispetto all'esercizio iniziale dell'entità.

Secondo Reis (2009), l'organizzazione può scegliere se redigere il prospetto degli utili o delle perdite cumulati in modo isolato, oppure se farlo insieme agli altri conti del patrimonio netto, riportando il tutto nel Prospetto delle variazioni del patrimonio netto, di cui si parlerà nel punto successivo.

Il Prospetto delle variazioni del patrimonio netto (DMPL), invece, mostra tutte le variazioni avvenute nel gruppo del patrimonio netto dell'entità, motivo per cui si può dire che sia un prospetto più completo del Prospetto degli utili a nuovo. Secondo Camelo et al. (2007), il DMPL presenta le variazioni in tutti i conti del patrimonio netto, mostrando i cambiamenti che si sono verificati a causa di correzioni monetarie, aumenti di capitale, rivalutazione di elementi patrimoniali, utili o semplici trasferimenti tra conti.

In questo senso, il DMPL mostra i flussi che hanno un impatto sui conti del patrimonio netto e sostituisce il DLPA, in quanto più completo ed esaustivo. (HOJI, 2004). Secondo il Consiglio Federale di Contabilità, attraverso il Comunicato Tecnico CPC 26 (2011), l'entità deve presentare il reddito complessivo del periodo nel DMPL, separando l'importo attribuibile ai proprietari dell'entità controllante e l'importo attribuibile alle partecipazioni di minoranza.

Per quanto riguarda il Rendiconto finanziario, va notato che questo rendiconto mostra le variazioni che si sono verificate nelle disponibilità liquide della società, attraverso incassi e pagamenti. Le società aperte e chiuse con un patrimonio netto pari o superiore a due milioni di reais alla data del bilancio sono obbligate a presentare il

CFS (FERREIRA, 2009). Secondo la Securities and Exchange Commission, l'obbligo è stato adottato per tenere il passo con i cambiamenti del mercato e armonizzare le pratiche contabili.

Secondo Gonçalves e Conti (2011), se sviluppato dall'azienda, il DFC consente ai manager di vedere più chiaramente la relazione tra profitto e cassa, identificando la differenza tra il risultato economico e quello finanziario.

Pertanto, secondo Almeida et al. (2015), il flusso di cassa può essere utilizzato come strumento informativo che consente di identificare la circolazione del denaro, la liquidità dell'azienda e il fabbisogno di cassa futuro.

Per quanto riguarda la dichiarazione del valore aggiunto, il valore aggiunto è calcolato come differenza tra il valore della vendita e quello dei beni prodotti da terzi che sono stati utilizzati nel periodo analizzato.

Il D VA dovrebbe indicare il valore della ricchezza generata dall'azienda e la sua distribuzione tra coloro che hanno contribuito alla crescita di tale ricchezza, nonché la ricchezza non distribuita (LUCA, 1998).

Pertanto, secondo Santos (2003, p. 35), il DVA "è la forma più competente creata dalla contabilità per aiutare a misurare e dimostrare la capacità di un'organizzazione di generare e distribuire ricchezza".

Le note esplicative al bilancio, invece, aiutano i vari utilizzatori di informazioni sul contenuto del bilancio, in quanto integrano i fatti che si sono verificati e che sono stati contabilizzati, oltre a indicare gli atti che non hanno causato variazioni del patrimonio netto (FERREIRA, 2009).

> Le note esplicative devono includere i principali criteri di valutazione delle attività, in particolare le scorte, gli ammortamenti, i deprezzamenti, gli accantonamenti e le rettifiche per perdite probabili; le partecipazioni in altre società; la rivalutazione delle attività; i gravami sulle attività; le garanzie prestate a terzi; le passività possibili o potenziali; il tasso di interesse; le date di scadenza e le garanzie delle obbligazioni a lungo termine; il numero, i tipi e le classi di azioni del capitale sociale; l'acquisto di azioni concesse; l'adeguamento degli esercizi precedenti; gli eventi rilevanti che possono verificarsi dopo la chiusura dell'esercizio. (§5, Art. 176, Legge 6.404/1976).

Il Consiglio Federale della Contabilità, attraverso il Comunicato Tecnico CPC 26 (2011), stabilisce che le note esplicative devono essere presentate in modo sistematico, considerando gli effetti sulla comprensibilità e sulla comparabilità del bilancio.

Le note esplicative completano il bilancio, spiegando le voci che non appaiono chiaramente negli altri prospetti, nonché le tecniche di misurazione, la valutazione, le procedure contabili e citando gli atti che hanno avuto luogo nell'entità durante il periodo presentato, che non hanno alterato il suo patrimonio netto, aiutando i controlli interni nella verifica e nell'identificazione per la valutazione delle voci che hanno avuto luogo e aiutando anche gli altri utenti delle informazioni a comprendere i risultati presenti nel bilancio.

2.2.2 Valutazione dei controlli interni

Il controllo interno è un'area implementata dalla direzione aziendale per garantire l'efficienza e l'efficacia del lavoro svolto.

Con lo sviluppo dell'economia e di conseguenza delle aziende, i controlli interni sono diventati fondamentali per le imprese, che si sono evolute da una struttura familiare a una complessa (ATTIE, 2009).

Motta (1992) definisce il controllo interno come il piano, i metodi e le misure adottate dall'organizzazione per proteggere il proprio patrimonio, garantendo l'accuratezza e l'affidabilità dei dati contabili e promuovendo l'efficienza operativa e la conformità alle norme amministrative.

Il controllo interno può essere suddiviso in due sfere, che secondo Attie (2009) comprendono i controlli contabili, che sono i metodi e le procedure relativi alla sicurezza degli asset e all'affidabilità delle registrazioni contabili, e i controlli amministrativi, che riguardano l'efficienza operativa e le decisioni di politica aziendale.

Il controllo interno può essere di natura preventiva, con l'obiettivo di evitare errori, sprechi e irregolarità, o di natura investigativa, con l'obiettivo di rilevare errori, sprechi e irregolarità quando si verificano e di correggerli, e di natura correttiva, con l'adozione di correzioni a eventi che si sono già verificati e che dovrebbero essere regolarizzati (YOSHIDA; REIS; 2005).

Il controllo interno delinea i metodi per proteggere il patrimonio aziendale attraverso il controllo delle attività svolte nelle aziende.

2.2.2.1   Scopo del controllo interno

Il controllo interno è lo strumento dell'organizzazione per monitorare, supervisionare e verificare la gestione aziendale, consentendo di osservare, prevenire e controllare i fatti che hanno un impatto sul patrimonio dell'entità (FRANCO, MARRA 2001).

Gli obiettivi principali del controllo interno, secondo Attie (2009), sono la salvaguardia e l'applicazione degli interessi e delle politiche aziendali, l'accuratezza e l'affidabilità dei bilanci, delle relazioni finanziarie e operative e la salvaguardia dell'efficienza dell'intera operazione.

Secondo Oliveira, Perez Junior e Silva (2002) uno dei principali obiettivi dei controlli interni è verificare e garantire il rispetto delle regole aziendali, ottenere informazioni di qualità, analizzare la veridicità dei rapporti contabili, prevenire errori e frodi, sprechi, assicurare registrazioni e processi e preservare il patrimonio aziendale.

Un sistema di controllo interno soddisfacente riduce la possibilità di errori e irregolarità, rendendolo uno strumento indispensabile per garantire la sicurezza delle attività svolte (ATTIE, 2011), poiché un buon controllo rende difficile per i dipendenti compiere azioni errate, riducendo così la possibilità di errori e frodi nell'organizzazione.

2.2.2.2   L'importanza del controllo interno

Il controllo interno riveste un'importanza significativa perché fornisce relazioni interne per i manager nella pianificazione e nel controllo delle attività di routine. Contribuisce inoltre alla pianificazione strategica, che può essere utilizzata per sviluppare il processo decisionale e formulare le politiche dell'organizzazione. Inoltre, fornisce relazioni esterne per gli azionisti, il governo e gli utenti esterni (HORNGREN, 1985).

L'importanza del controllo interno per le organizzazioni è quella di garantire la continuità del flusso delle operazioni, generando affidabilità per gli utilizzatori delle informazioni, che sono principalmente imprenditori, investitori e istituzioni finanziarie, aiutandoli nel processo decisionale (ATTIE, 2009).

Il controllo interno è direttamente collegato al processo amministrativo, alla pianificazione, all'organizzazione e alla gestione, dove si nota la sua grande importanza, poiché monitora e valuta i risultati aziendali, aiutando nel processo di gestione e garantendo l'affidabilità delle informazioni trasmesse (BORDIN; SARAIVA, 2005).

Il controllo interno fornisce un supporto all'azienda in termini di performance e garantisce che tutti i processi si svolgano come desiderato dalla direzione, senza rischi. Pertanto, un controllo interno efficiente permette di individuare errori e irregolarità, offrendo maggiori possibilità di correggerli in modo proattivo (FERREIRA; SANTOS; ALVES; 2015).

Pertanto, si può dedurre che il controllo interno contribuisce a massimizzare la performance dell'organizzazione, oltre che ad aumentare l'efficienza e l'efficacia operativa, garantendo che, a condizione che sia ben eseguito, tutti i processi dell'organizzazione siano impostati in conformità con la volontà della direzione, senza rischi.

Pertanto, oltre ai bilanci, la revisione contabile indipendente valuterà anche i controlli interni mantenuti dalle società sottoposte a revisione, al fine di individuare le procedure adottate per ridurre al minimo gli errori e le frodi nei processi che danno origine ai bilanci.

2.2.3 Rischi di audit

I rischi di revisione sono presenti in tutto il lavoro svolto dai revisori indipendenti. Secondo l'NBC T 11 (2007), il rischio di revisione è la possibilità che il revisore emetta un parere inadeguato sui bilanci analizzati e che questi siano errati.

L'analisi del rischio di revisione deve essere effettuata in fase di pianificazione e deve considerare il bilancio nel suo complesso, i saldi dei conti e la natura delle transazioni, impedendo così l'emissione di un parere errato sui dati analizzati (FERREIRA, 2009).

Le procedure di valutazione del rischio sono applicate per ottenere una comprensione dell'entità e del suo ambiente, identificando e valutando i rischi di inesattezze rilevanti nel bilancio, indipendentemente dal fatto che siano causate intenzionalmente o meno (NBC TA 315).

In questo senso, il revisore determina il rischio di revisione analizzando il controllo dell'entità in termini di coinvolgimento degli amministratori nelle attività della società, la struttura e i metodi amministrativi adottati in relazione all'autorità, alla responsabilità e alla separazione dei compiti, le regole e le politiche stabilite dalla direzione, l'implementazione e la modifica dei sistemi e, soprattutto, il confronto dei risultati finanziari precedenti (FERREIRA 2009).

Secondo l'NBC T 11 (2007), maggiori sono i rischi analizzati dal revisore nei controlli interni, maggiore è l'estensione dei test richiesti per l'emissione della relazione di revisione. Inoltre, secondo l'NBC TA 315 (2009), i rischi significativi sono quelli a cui il revisore deve prestare particolare attenzione nello svolgimento del proprio lavoro.

2.2.3.1   Concettualizzazione, individuazione e identificazione dei rischi

Esistono diverse definizioni di rischio di revisione, tra cui il rischio relativo, il rischio intrinseco, il rischio di controllo, il rischio di individuazione e il rischio di fornitura di servizi, secondo Perez Junior et al. (2011).

Il rischio relativo è definito come il rischio che esiste in ogni operazione sottoposta a revisione e che influenza in modo significativo l'attività dell'azienda, ed è relativo alle operazioni e alle attività con il rischio maggiore.

Per quanto riguarda il rischio intrinseco, questo si riferisce agli errori e alle irregolarità che possono verificarsi come risultato di un'attività svolta, della responsabilità presente in tale attività e anche nel reparto.

A sua volta, il rischio di controllo è rivolto ai rischi presenti nei controlli interni, che si verificano a causa dell'incapacità di rilevare errori e frodi nell'azienda.

24

Per quanto riguarda il rischio di individuazione, si considera quello che si verifica al momento dell'esecuzione delle procedure di revisione, quando non vengono identificati i difetti rilevanti nel bilancio, nonché i difetti che si verificano al momento dell'attuazione delle procedure e delle tecniche adottate dalla revisione.

Infine, il rischio di fornitura di servizi è legato al mancato soddisfacimento delle aspettative e delle esigenze che il management ha creato in merito al lavoro della società di revisione incaricata.

La rilevazione e l'identificazione dei rischi è la base iniziale per la stesura dei metodi da adottare e del campione da controllare da parte degli auditor nello svolgimento del loro lavoro.

Secondo il Consiglio federale della contabilità, attraverso la NBC TA 315 (R1), (2016 p. 35):

> I rischi di inesattezze rilevanti a livello di bilancio si riferiscono a rischi che si riferiscono in modo generalizzato al bilancio nel suo complesso e che potenzialmente possono riguardare molte asserzioni. I rischi di questa natura non sono necessariamente riconducibili a specifiche asserzioni nella classe di operazioni, nel saldo dei conti o nel livello di informativa. Rappresentano piuttosto circostanze che possono aumentare i rischi di inesattezze significative a livello di asserzioni, ad esempio a causa dell'elusione dei controlli da parte della direzione. I rischi a livello di bilancio possono essere particolarmente rilevanti per la valutazione da parte del revisore dei rischi di errori significativi dovuti a frodi.

Pertanto, maggiore è il livello di inesattezze rilevanti nel bilancio, maggiore è il rischio che il revisore emetta una relazione con informazioni errate, con conseguente giudizio errato sulla realtà patrimoniale, economica e finanziaria della società sottoposta a revisione.

A causa di questi rischi a cui il revisore è soggetto, nel rilevare e identificare i rischi il revisore deve adottare alcune procedure per poter verificare ed essere più assertivo nel suo lavoro. Secondo Perez Junior (2011), il revisore deve acquisire la conoscenza delle relazioni precedenti realizzate da altre società di revisione per conoscere il lavoro già svolto, verificare il metodo di valutazione utilizzato dall'azienda, ad esempio nel conto del magazzino, l'ammortamento e anche il modo in cui viene tassato, identificare i fatti rilevanti che si sono verificati dopo la chiusura

25

degli esercizi precedenti e in particolare dell'ultimo esercizio, verificare i cambiamenti che si sono verificati, soprattutto per quanto riguarda il dipartimento di controllo interno e le procedure applicate.

Come spiegato dal Consiglio federale della contabilità, attraverso l'NBC TA 330 (R1), (2016), è responsabilità del revisore svolgere le procedure di revisione per verificare che il bilancio sia stato presentato e divulgato in conformità al quadro normativo sull'informativa finanziaria applicabile. Dopodiché, prima di emettere la relazione, il revisore deve valutare se le valutazioni dei rischi e degli errori significativi a livello di asserzioni rimangono appropriate.

Pertanto, dopo aver identificato il rischio, stabilito le procedure di revisione e averle eseguite, il revisore deve esprimere il proprio parere nella relazione di revisione.

2.3 Tipi di rapporti di revisione

La relazione di revisione è il mezzo che il revisore utilizza per esprimere il proprio giudizio in modo chiaro e oggettivo, in conformità ai principi di revisione, dopo aver effettuato metodi di valutazione del bilancio e averne determinato la comprensione (ATTIE, 2009).

Le procedure adottate dal revisore sono tecniche volte a ottenere elementi probatori sufficienti e appropriati per supportare il suo giudizio sul bilancio sottoposto a revisione, che comprendono test di osservanza (garanzia delle procedure svolte dal controllo interno) e test sostanziali (accuratezza e validità dei dati) presentati nella contabilità/del bilancio (NBC T 11, 2007).

Si può quindi dedurre che la relazione di revisione, o giudizio di revisione, presenta l'opinione del revisore sul bilancio analizzato. La relazione di revisione è quindi estremamente importante per la direzione dell'azienda e anche per gli altri utilizzatori delle informazioni, in quanto fornisce un parere indipendente basato sugli elementi probativi riscontrati nel bilancio dell'azienda, che copre gli aspetti patrimoniali, economici e finanziari. In quanto vengono confrontate le non conformità, o meno, sui fatti che si sono verificati in quel periodo, per individuare se l'iscrizione e la rilevazione di questi fatti, seguendo le regole vigenti, sono conformi, comunicando eventuali problemi futuri che potrebbero verificarsi a causa delle distorsioni verificate.

La relazione del revisore fornisce agli utilizzatori del bilancio una maggiore certezza sulla realtà dell'azienda. Spesso è sulla base di quanto riportato nella relazione che molti azionisti decidono se investire o meno, e per le istituzioni finanziarie la garanzia di un prestito da concedere. Lo scopo della relazione di revisione è quindi quello di dare maggiore credibilità al bilancio e di garantire l'assertività delle procedure contabili adottate dall'azienda.

Pertanto, secondo gli standard in vigore, esistono quattro tipi di relazioni che il revisore può emettere nello svolgimento del suo lavoro, ovvero il giudizio senza rilievi, il giudizio con rilievi, l'astensione dal giudizio e il giudizio negativo, in modo che ciascuno di essi dipenda di per sé dalla rappresentatività e dalla rilevanza dell'elemento e dalla distorsione che ne è derivata per il patrimonio netto (NBC T 11, 2007).

2.3.1 Parere non modificato (NBC TA 700)

La relazione di revisione con un giudizio senza modifiche, o popolarmente nota come giudizio senza riserve, indica che il bilancio analizzato dal revisore è conforme ai Principi contabili fondamentali, ai Principi contabili brasiliani e alla legislazione specifica che si applica all'entità (MOTTA, 1992).

Pertanto, secondo Ferreira (2009), il revisore emette un giudizio senza rilievi quando è convinto che il bilancio presenti la situazione reale del patrimonio dell'organizzazione.

In questo modo, il revisore ha la possibilità di emettere un giudizio modificato o non modificato sulla relazione finanziaria applicabile, ovvero quando le procedure adottate, i controlli interni, i saldi e la struttura del bilancio sono conformi alle norme e ai principi contabili e alla legislazione vigente.

Secondo l'NBC TA 700, si esprime un giudizio senza modifiche quando il revisore conclude, sulla base degli elementi probativi ottenuti, che il bilancio è stato redatto, sotto tutti gli aspetti, in conformità al quadro normativo sull'informativa finanziaria applicabile.

2.3.2 Parere modificato (NBC TA 705)

L'emissione di un giudizio modificato si verifica quando il revisore dispone di elementi probativi sufficienti per ritenere che il bilancio sia stato redatto in modo errato, oppure quando il revisore non dispone di elementi probativi sufficienti per sostenere il proprio giudizio al momento dell'emissione della relazione di revisione.

Al momento dell'emissione del rapporto, ogni volta che il revisore si accorge che deve essere modificato, deve inizialmente informare la direzione dell'organizzazione, in modo che questa sia consapevole della distorsione e possa fornire soluzioni al problema, sapendo che sarà evidenziato nel rapporto (LONGO; 2011).

L'NBC TA 705 (2009) stabilisce che il parere modificato può essere un parere con riserva, un parere negativo o l'astensione da un parere.

Quando le dichiarazioni valutate sono irregolari, cioè in disaccordo con i principi, le norme e la legislazione in vigore, il giudizio del revisore viene emesso con riserva (FERREIRA, 2009).

Pertanto, quando si riscontra un certo grado di rilevanza nelle non conformità, il revisore deve indicare nel giudizio le ragioni per cui è stato emesso con una riserva, misurando l'effetto di questa non conformità che ha portato al bilancio, facendo anche riferimento a tali situazioni e rischi nelle note esplicative (ATTIE, 2009).

Quando i documenti vengono controllati e si riscontrano irregolarità significative e diffuse, il revisore emette un giudizio negativo perché la situazione finanziaria dell'azienda non viene presentata in modo affidabile (ATTIE, 2009).

Un giudizio di astensione è quello in cui il revisore non esprime un giudizio sul bilancio perché non dispone di elementi probativi sufficienti per sostenere e difendere il proprio giudizio (FERREIRA, 2009).

2.3.3 Paragrafi di enfasi (NBC TA 706)

I paragrafi di enfasi sono inclusi nella relazione del revisore per spiegare un'informazione del bilancio che, per la comprensione degli utilizzatori di queste informazioni, è di fondamentale importanza.

Secondo l'NBC T 11 (2007), i paragrafi di enfasi vengono redatti anche quando il revisore è incerto su un fatto rilevante che potrebbe influire significativamente sulla situazione finanziaria dell'impresa e mettere a rischio la sua continuità aziendale.

Indipendentemente dal tipo di giudizio emesso nella relazione di revisione, sia esso con rilievi, senza rilievi, con astensione dal giudizio o negativo, è possibile redigere il paragrafo di enfasi. Ciò non influenzerà la relazione redatta dal revisore (NBC T 11, 2007).

Secondo l'NBC TA 706 (2009), il paragrafo di enfasi dovrebbe essere separato dalla relazione di revisione, utilizzando un titolo che includa il termine enfasi e che chiarisca l'argomento trattato nel corso del paragrafo, segnalando inoltre che la descrizione completa dell'argomento può essere trovata nelle note esplicative. Secondo il Consiglio federale della contabilità (2007), il revisore è responsabile delle informazioni riportate nel paragrafo di enfasi e nella relazione di revisione, ma la preparazione del bilancio analizzato dalla revisione è di piena responsabilità della direzione della società sottoposta a revisione.

2.4 Responsabilità della direzione della società sottoposta a revisione

La responsabilità della predisposizione e dell'efficacia dei controlli interni ricade interamente sull'impresa sottoposta a revisione, così come la responsabilità di predisporre e divulgare il bilancio, minimizzando il più possibile i rischi di distorsione. A tal fine, secondo Crepaldi e Crepaldi (2016), il revisore deve acquisire elementi probatori che dimostrino che la direzione aziendale è consapevole della propria responsabilità di redigere e divulgare il bilancio in conformità ai principi e alle prassi contabili adottati nel Paese.

Crepaldi e Crepaldi (2016) sottolineano inoltre che il documento che fornisce le evidenze di cui sopra è la lettera di responsabilità della direzione, che deve essere

29

emessa dalla società sottoposta a revisione, indirizzata al revisore indipendente, rafforzando che le informazioni fornite a quest'ultimo e le basi su cui il bilancio è stato preparato e divulgato sono di sua responsabilità. Questa lettera deve rendere esplicita la consapevolezza della società della propria responsabilità per la preparazione e la divulgazione del bilancio, sostenendo che esso deve essere privo di errori, frodi e distorsioni.

L'obiettivo del revisore indipendente che ottiene la lettera di responsabilità della direzione è quello di rispettare i principi di revisione indipendenti, ottenere elementi probativi scritti, delimitare la responsabilità delle parti, dare maggiore affidabilità alle informazioni ottenute nella revisione, garantire la responsabilità del revisore dopo aver svolto il lavoro di revisione a cui legherà il proprio nome e consentire di chiarire i dati che non appaiono nel bilancio, il cui documento farà anche parte delle carte di lavoro del revisore (FEDERAL ACCOUNTING COUNCIL, 2007).

Secondo Malacrida e Yamamoto (2006), attraverso la corporate governance l'azienda migliora le informazioni fornite al revisore, in quanto va di pari passo con la contabilità, dove entrambi utilizzano gli stessi concetti di trasparenza, correttezza, responsabilità e responsabilità aziendale, con l'obiettivo di risolvere i problemi tra gli stakeholder.

Pertanto, la corporate governance contribuisce a migliorare i controlli interni, aumentando la responsabilità del management nel consegnare al revisore un bilancio privo di errori e aiutando la revisione contabile a migliorare le informazioni contabili.

Solo dopo la firma del contratto per la fornitura dei servizi di revisione e l'ottenimento della lettera di responsabilità della direzione, il revisore indipendente può svolgere il suo lavoro di revisione, con la certezza di rispettare tutti i principi e le leggi richieste e di poter quindi redigere il suo parere in tutta tranquillità.

2.4.1 Risposta della direzione

Non appena la società sottoposta a revisione riceve il parere del revisore, è suo dovere pubblicare un documento chiamato Relazione sulla gestione, in cui risponde agli azionisti sui punti sollevati dal revisore nella relazione.

L'obiettivo del rapporto di gestione è migliorare la qualità delle informazioni fornite, dimostrando la posizione e la performance dell'azienda in termini di gestione e allocazione delle risorse (LAHM et al., 2013).

Secondo la legge 6.404/1976, la legge brasiliana sulle società, le società quotate in borsa sono obbligate a pubblicare la relazione sulla gestione, ma anche le società private possono pubblicarla, poiché aiuta gli azionisti a prendere decisioni.

Lahm et al. (2013) affermano inoltre che la relazione di revisione aiuta la corporate governance, che è un insieme di procedure e politiche di un'azienda, con l'obiettivo di garantire l'affidabilità e l'efficacia delle attività aziendali. Si può quindi affermare che la relazione sulla gestione va di pari passo con la corporate governance, l'audit interno, l'assistenza ai controlli interni e l'audit esterno, in quanto nasce in risposta alla relazione di revisione e alle raccomandazioni presentate dal revisore affinché l'azienda sottoposta a revisione migliori i propri controlli interni o si difenda da possibili eventi, anche se remoti, che potrebbero verificarsi in futuro, come suggerimento per un controllo interno preventivo.

2.5 Studi correlati

Data la rilevanza dell'argomento di ricerca, è importante concentrarsi sull'attenzione prestata dalla direzione aziendale alla preparazione e alla pubblicazione dei bilanci in conformità con la relazione finanziaria applicabile. Di seguito vengono presentati gli studi correlati che affrontano il problema della ricerca.

Nello studio condotto da Cunha, Beuren Pereira (2009), sono stati analizzati i pareri di revisione dei bilanci delle società catarinensi registrate presso la Securities and Exchange Commission, da cui è emerso che il 75,76% dei pareri era senza riserve e il 24,24% con riserve. Dei pareri qualificati, il 50% è stato qualificato a causa di questioni fiscali, il 37,50% a causa di questioni economiche e il 12,50 a causa di questioni lavorative. Nei pareri senza rilievi, vale a dire senza avvertenze, 20 società hanno presentato paragrafi di enfasi, il 55% dei quali si riferiva a questioni finanziarie ed economiche della società sottoposta a revisione. Di conseguenza, gli autori hanno concluso che i pareri possono evolvere in termini di aspetti formali stabiliti dai principi contabili brasiliani. D'altra parte, sono presentati in modo soddisfacente per quanto riguarda gli aspetti informativi, in quanto i pareri sono stati emessi con comprimibilità.

Santos et al. (2009) hanno studiato la revisione contabile indipendente, effettuando uno studio sui pareri emessi sui bilanci delle società quotate al Bovespa e al NYSE, da cui è emerso che in quasi il 100% dei casi è stato emesso un parere senza riserve, sia per i bilanci brasiliani che per quelli americani. Analizzando il contenuto dei pareri, è emerso che i pareri emessi sui bilanci americani, rispetto a quelli emessi sui bilanci brasiliani, pongono maggiore enfasi sull'efficacia dei controlli interni.

Nella ricerca condotta da Damascena, Firmino e Paulo (2011), che si proponeva di studiare le tipologie di giudizi di revisione, analizzando i paragrafi di enfasi e i caveat contenuti nei bilanci delle società di revisione.

Per quanto riguarda le società quotate al Bovespa, è emersa la predominanza di pareri senza riserve, poiché il 7,40% dei pareri conteneva riserve e il 41,37% paragrafi di enfasi. I motivi principali per cui è stato emesso un paragrafo di enfasi sono stati l'elevato numero di perdite continue, le passività in eccesso e il capitale circolante insufficiente. Il motivo per cui è stato emesso un parere con riserva, invece, è stata l'indicazione di crediti d'imposta non debitamente compensati.

L'obiettivo dello studio condotto da Camargo (2012) è stato quello di analizzare le determinanti dei pareri dei revisori indipendenti rilasciati alle società quotate alla BMF&Bovespa e ha concluso che, in generale, le determinanti dei pareri di revisione sono: misure di rischio, dimensioni della società sottoposta a revisione, indicatori economici e finanziari, scoperti di conto corrente nel periodo analizzato, liquidità corrente, leva finanziaria, misure di complessità, onorari pagati alle società di revisione, tipo di controllo, tipo di società di revisione, tipo di parere contenuto, ritardo dei pareri di revisione, settore in cui opera la società sottoposta a revisione, corporate governance e maturità dei controlli contabili.

Lo studio condotto da Damascena e Paulo (2013) mirava a studiare le avvertenze e i paragrafi di enfasi contenuti nei bilanci delle società quotate brasiliane, in cui si è riscontrata una predominanza di giudizi senza rilievi, dove in media il 7,4% era con rilievi e il 41,4% con un paragrafo di enfasi. È stato inoltre rilevato un effetto significativo delle variabili contabili e degli indicatori economici e finanziari sull'emissione del giudizio di revisione. Più alti sono il valore di mercato, l'utile netto e i ricavi della società, minore è il numero di riserve. Per quanto riguarda il paragrafo di enfasi, solo la liquidità è stata considerata una variabile significativa.

Heliodoro (2014) ha analizzato se esiste una relazione tra il cambio di revisore e la relazione di revisione qualificata, scoprendo che esiste una relazione significativamente positiva tra la relazione di revisione e il cambio di revisore, dove i cambiamenti più significativi sono stati il cambio di revisore e la riserva sul patrimonio, l'esistenza di altre riserve e le dimensioni della società sottoposta a revisione, la crescita della società, il tipo di modello di governance e le diverse classificazioni delle attività economiche - CAE, indicando che la soddisfazione degli azionisti è di grande importanza nella decisione di cambiare il revisore da parte del management della società.

Nella stessa linea di ricerca, Marquart e Alberton (2015) hanno analizzato i caveat e le enfasi emessi nel parere di revisione indipendente delle società BM&FBovespa di livello 1 di Corporate Governance e hanno individuato l'importanza che gli investitori osservino il parere di revisione quando formano i loro portafogli di investimento.

Infine, anche lo studio di Damascena, Firmino e Paulo (2011) ha analizzato i giudizi di revisione, analizzando i paragrafi di enfasi e gli avvertimenti contenuti nei bilanci delle società quotate alla Bovespa, rilevando che le ragioni che hanno causato il maggior numero di avvertimenti sono state la scarsità di dati e l'impossibilità di formulare un giudizio, a causa dell'esistenza di perdite continue, di debiti scoperti e di capitale circolante insufficiente.

Alla luce di ciò, la letteratura correlata sottolinea che c'è ancora molto da dire sullo studio oggetto della presente ricerca, in quanto, come emerso dall'indagine, pochi autori hanno rivolto la loro attenzione a un'analisi dettagliata delle ragioni per cui viene emesso un giudizio modificato sui bilanci delle società brasiliane. Pertanto, questo studio si differenzierà dagli altri in quanto analizzerà specificamente i giudizi modificati nella revisione dei bilanci delle società quotate alla BM&FBovespa, verificando quali sono le principali ragioni, da parte della società sottoposta a revisione, che portano all'emissione di un giudizio con un giudizio modificato da parte dei revisori e delle società di revisione indipendenti.

CAPITOLO 3

PROCEDURE METODOLOGICHE

La ricerca è considerata una procedura formale con un metodo di riflessione che richiede un trattamento scientifico, trovando risposte alle domande proposte (MARCONI, 2013).

Pertanto, la metodologia si distingue come metodo di trattazione scientifica, in modo da presentare il modo in cui lo studio è stato sviluppato, descrivendo i metodi utilizzati nello sviluppo dell'approccio all'argomento studiato, nonché classificando il tipo di ricerca, la popolazione e il campione della ricerca, la delimitazione dello studio, la raccolta dei dati e gli aspetti che hanno guidato l'analisi e l'interpretazione dei dati della ricerca.

Pertanto, si può dedurre che la metodologia crea un collegamento tra quanto discusso nel quadro teorico e le pratiche che saranno realizzate nell'organizzazione di ricerca.

3.1 Disegno di ricerca

Per quanto riguarda la progettazione della metodologia di studio, questa ricerca è classificata in termini di obiettivi, procedure e approccio al problema. Secondo Beuren (2009), gli obiettivi vengono elaborati dopo aver definito l'argomento e il problema e sono di fondamentale importanza per la comprensione e lo sviluppo della ricerca.

In termini di obiettivi, questa ricerca è considerata descrittiva, poiché la ricerca descrittiva si basa sull'analisi dei dati, verificando le possibili relazioni tra i dati analizzati. Secondo Gil (1999), l'obiettivo principale della ricerca descrittiva è quello di menzionare le caratteristiche di una popolazione o di un fenomeno, o di stabilire relazioni tra variabili e l'uso di tecniche standardizzate di raccolta dei dati.

Secondo Andrade (2002), la ricerca descrittiva osserva, registra, analizza, classifica e interpreta i fatti senza che il ricercatore vi interferisca, cioè i fenomeni vengono studiati, ma non vengono manipolati o alterati dal ricercatore. Pertanto, la ricerca descrittiva consiste nel descrivere e analizzare i dati con l'obiettivo di raggiungere una conclusione su qualcosa (DIDIO, 2014).

Pertanto, questa ricerca è classificata come descritta perché cerca di presentare aspetti, caratteristiche e peculiarità identificate dai report modificati delle società quotate alla BMF&Bovespa.

In termini di procedure, la ricerca è classificata come documentaria, in quanto mira ad approfondire le conoscenze registrate nei documenti senza una trattazione specifica o approfondita.

Secondo Gil (2008), la ricerca documentaria viene condotta utilizzando documenti attuali o vecchi, materiali che non sono stati analizzati o che possono ancora essere rielaborati in base agli obiettivi della ricerca.

Secondo Silva e Grigolo (2002), la ricerca documentaria si basa su materiali che non sono stati analizzati in profondità, con l'obiettivo di comprendere le informazioni grezze, estraendo informazioni importanti che possono aiutare altre ricerche scientifiche.

In questo modo, va notato che in questo studio la caratteristica documentale è evidenziata dall'analisi delle relazioni di revisione che hanno ricevuto pareri modificati da parte dei revisori indipendenti.

Per quanto riguarda l'approccio al problema, questa ricerca è classificata come qualitativa, in quanto analizza le caratteristiche di un fatto osservato, cercando di scoprire come si è arrivati al risultato ottenuto. Secondo Beuren (2009), la ricerca qualitativa viene condotta attraverso un'analisi più approfondita del fenomeno studiato. Sottolinea che in questo tipo di ricerca si osservano caratteristiche che non sono verificabili in uno studio quantitativo, a causa della sua superficialità.

Tenendo conto di ciò, la presente ricerca ha un approccio qualitativo in quanto ha analizzato le informazioni contenute nella relazione di revisione modificata, identificando i fattori determinanti del giudizio modificato del revisore, in relazione ai bilanci e alle situazioni contabili divulgate dalle società sul mercato dei capitali brasiliano, senza trattamento statistico e utilizzo di dati numerici.

3.2 Domande di ricerca

Le domande di ricerca a cui si è risposto sono legate agli obiettivi specifici definiti per questo lavoro. Pertanto, si può dedurre che le domande di ricerca hanno contribuito alla preparazione e all'esecuzione del progetto, fungendo da base per sostenere l'analisi dei dati e le conclusioni sul problema di ricerca indagato:

a) Quali sono i principali fattori evidenziati dalla società di revisione che portano all'emissione di una relazione con un giudizio modificato?

b) Qual è la percentuale di società quotate alla BMF&Bovespa che hanno un report con un'opinione modificata e qual è la ricorrenza nei periodi osservati?

c) Su cosa si è basato il revisore nell'emettere la relazione con un giudizio modificato?

d) Tra i rapporti emessi, qual è il numero di rapporti emessi senza riserve e quelli con modifiche, riserve o astensioni? Qual è la percentuale di tutte le aziende osservate?

3.3 Popolazione e campione della ricerca

Il campione si ottiene identificando la popolazione di riferimento, l'oggetto di studio. Per questo studio di ricerca, è stato preso un piccolo campione dalla popolazione scelta per avere una base per applicare i metodi e poi mostrare i risultati.

Lo studio presentato ha avuto come popolazione le società quotate alla BM&FBovespa, che attualmente corrispondono a 485 società quotate.

Per quanto riguarda il campione di ricerca, invece, ci si è basati sulle relazioni di revisione delle società quotate alla BM&FBovespa, che hanno ricevuto relazioni di revisione modificate con riserve, giudizi negativi e astensioni dal giudizio, emesse tra il 2014 e il 2016, comprendenti l'insieme dei rendiconti redatti negli esercizi 2013, 2014 e 2015, analizzando i fattori determinanti, ovvero le ragioni che hanno portato i revisori a emettere relazioni di natura modificata.

3.4 Raccolta dati

La raccolta dei dati è stata correlata allo scopo e all'obiettivo dello studio, definito come il raggruppamento di vari fatti finalizzati allo studio di un argomento specifico. La raccolta dei dati è stata effettuata direttamente sul sito web della BM&FBovespa, esaminando i bilanci e le relazioni contabili pubblicati dalle società quotate e le relazioni di revisione emesse dalle società di revisione di tali società con relazioni di opinione modificate.

Inizialmente, abbiamo identificato le società pubbliche quotate alla BM&FBovespa. Abbiamo poi identificato le società che avevano ricevuto

rapporti di revisione con pareri modificati. Questi rapporti sono stati salvati e analizzati in forma documentale.

Il periodo di raccolta dei dati comprendeva i documenti emessi tra il 2014 e il 2016, corrispondenti a tre anni di analisi dei fattori citati dai revisori come punti principali che sono serviti come base per l'emissione di giudizi modificati sui bilanci contabili e finanziari divulgati dalle società quotate che hanno ricevuto la relazione di revisione modificata, informazioni che sono state estratte attraverso dati secondari.

3.5 Analisi e interpretazione dei dati

L'analisi e l'interpretazione dei dati è una fase essenziale nello sviluppo di un progetto di ricerca, poiché è in questa fase che i dati raccolti vengono analizzati e interpretati per ottenere risposte al problema di ricerca indagato.

In questo modo, l'analisi dei dati verifica i fatti che hanno portato al problema individuato. L'interpretazione dei dati valuta intensamente i dati per trovare il significato delle risposte (GIL, 1999).

In questo senso, Beuren (2009) sottolinea che i dati possono essere analizzati e interpretati attraverso l'analisi documentaria, l'osservazione e le domande. Secondo Bardin (1997), l'analisi documentaria ha lo scopo di stabilire il campo e la specificità del contenuto. È un insieme di procedure che presentano lo studio in modo diverso. Utilizza fondamentalmente documenti e mira a sintetizzare le informazioni.

L'analisi documentale è una tecnica eccellente per osservare dati qualitativi e quantitativi. In contabilità, questa analisi può essere utilizzata per accertare la percezione degli utenti esterni, come ad esempio l'importanza della correzione monetaria nei bilanci (BEUREN, 2009).

Alla luce di ciò, la presente ricerca ha utilizzato l'analisi documentale, poiché il suo obiettivo era quello di riassumere le informazioni ottenute in relazione ai fatti citati dai revisori indipendenti nelle loro relazioni di revisione modificate.

CAPITOLO 4

ANALISI DEI RISULTATI

Questo capitolo analizza le relazioni di revisione contenute nei bilanci delle società quotate alla BM&FBovespa, ottenute attraverso uno studio documentale delle 485 società quotate alla borsa brasiliana.

Per giungere ai risultati della ricerca, sono stati seguiti gli obiettivi specifici determinati all'inizio di questo studio, che comprendevano l'analisi delle relazioni di revisione contenute nei bilanci delle società quotate alla BM&FBovespa, la verifica di quali fossero state emesse con modifiche e i principali motivi e la frequenza di tali modifiche, l'analisi di quali standard, principi o leggi fossero stati violati e di come la società avrebbe dovuto procedere per emettere il bilancio in conformità con la relazione finanziaria applicabile.

4.1 Identificazione delle relazioni con un parere modificato

L'obiettivo di questo studio è stato quello di verificare le principali ragioni per cui è stato emesso un giudizio con modifica sui bilanci delle società quotate alla BM&FBovespa nel 2013, 2014 e 2015, analizzando le relazioni di revisione di tutte le 485 società quotate in borsa. Per effettuare questa analisi, il sito web del BM&FBovespa ha inizialmente individuato i bilanci standardizzati e la voce Opinioni e dichiarazioni, che contiene il giudizio del revisore indipendente, all'interno delle relazioni finanziarie.

Di conseguenza, sono state identificate tutte le società quotate in borsa sul BM&FBovespa, dopodiché è stato accertato quali di queste società hanno ricevuto un parere con modifica nel periodo analizzato.

Individuando il parere, è stato possibile verificare se era stato emesso senza riserve, modificato con riserve o modificato con astensione dal parere/parere negativo, e attraverso questo è stato selezionato il campione che ha fornito supporto all'analisi documentale.

Attraverso il contenuto di questi pareri, sono state identificate le principali ragioni addotte dai revisori indipendenti per emettere un parere modificato.

Dopo aver identificato i pareri, le società con pareri modificati sono state separate per anno, come mostrato nelle tabelle seguenti.

Tabella 1 - Società con relazioni di revisione modificate (2013).

Aziende con opinioni modificate	Totale attività	Audit. Big Four	Settore economico
Bco Amazonia S.A.	R$ 11.330.107,00	SÌ	Finanza
Bombril S.A.	R$ 1.154.496,00	NO	Consumi non ciclici
Bradesco Leasing S.A. Arrend Mercantil	R$ 83.135.787,00	SÌ	Finanza
Bv Leasing - Arrendamento Mercantil S.A.	R$ 30.278.985,00	SÌ	Finanza
Ccb Brasil Arrendamento Mercantil S.A.	R$ 684.285,00	SÌ	Finanza
Società Imbituba Docks	R$ 499.346,00	NO	Beni industriali
Cia Energetica De Brasilia	R$ 652.910,00	SÌ	Servizi pubblici
Cia Estadual De Distribuito Ener Elet-Ceee-D	R$ 2.997.582,00	SÌ	Servizi pubblici
Cia Estadual Ger.Trans.Ener.Elet-Ceee-Gt	R$ 3.170.831,00	SÌ	Servizi pubblici
Cia Industrial Schlosser S.A.	R$ 115.830,00	NO	Consumo ciclico
Cobrasma S.A.	R$ 166.943,00	NO	Servizi pubblici
Construtora Sultepa S.A.	R$ 780.293,00	NO	Materiali di base
Dibens Leasing S.A. - Leasing	R$ 161.459.129,00	NO	Finanza
Energisa Mato Grosso Do Sul - Dist De Energia S.A.	R$ 1.877.509,00	NO	Servizi pubblici
Energisa Mato Grosso-Distribuidora De Energia S/A	R$ 3.675.473,00	NO	Servizi pubblici
Gpc Participacoes S.A.	R$ 695.956,00	NO	Materiali di base
Fabbrica di posate Hercules S.A.	R$ 5.970,00	SÌ	Consumo ciclico
Inepar S.A. Industria E Costruzioni	R$ 3.197.345,00	NO	Beni industriali
Laep Investments Ltd.	-	NO	Finanza
Mangels Industrial S.A.	R$ 448.615,00	SÌ	Materiali di base
Mundial S.A. - Prodotti di consumo	R$ 932.867,00	SÌ	Consumo ciclico
Óleo E Gás Participações S.A.	R$ 67.303,00	SÌ	Olio.
Osx Brasil S.A.	R$ 8.542.602,00	SÌ	Olio.
Panatlantica S.A.	R$ 582.407,00	NO	Materiali di base
Pomifrutas S/A	R$ 132.241,00	NO	Consumi non ciclici
Profarma Distrib Prod Farmaceuticos S.A.	R$ 1.778.666,00	SÌ	Salute
Refinaria De Petroleos Manguinhos S.A.	R$ 304.512,00	NO	Olio.
Tecblu Tecelagem Blumenau S.A.	R$ 7.342,00	NO	Consumo ciclico
Tecnosolo Engenharia S.A.	R$ 211.294,00	NO	Beni industriali
Teka-Tecelagem Kuehnrich S.A.	R$ 832.116,00	NO	Consumo ciclico

Fonte: Dati della ricerca

Come si può notare, nel 2013 sono state individuate 30 società con un giudizio di revisione modificato, sotto forma di giudizio con rilievi e giudizio negativo. Di queste 30 società, 13 sono state sottoposte a revisione contabile da parte di una società

41

di revisione *Big Four, una* nomenclatura utilizzata per sottolineare le quattro principali società di revisione contabile del mondo: Ernest & Young, Deloitte, PricewaterhouseCoopers (PWC) e KPMG.

Inoltre, per quanto riguarda il settore in cui operano, si può notare che sei aziende erano nel settore finanziario, sei nei servizi pubblici, cinque nei consumi ciclici, quattro nei materiali di base, tre nei beni materiali, tre nel petrolio, due nei consumi non ciclici e una nel settore sanitario.

Per quanto riguarda il totale delle attività, le società con un parere modificato avevano in media attività totali pari a 11.024.874,21 reais nel 2013. Considerando le dimensioni delle società analizzate in base al valore delle loro attività, Dibens Leasing S.A. - Arrend.Mercantil è stata la società più grande a ottenere una relazione di revisione modificata, e il suo patrimonio nel 2013 ammontava a 161.459.129,00 R$.

Per il 2014, la Tabella 2 mostra le società che hanno ricevuto una relazione o un parere a queste condizioni.

Tabella 2 - Società con relazioni di revisione modificate (2014).

Aziende con opinioni modificate	Totale attività	Audit. Big Four	Settore economico
B.I. Cia Securitizadora S.A.	R$ 101.192,00	NO	Finanza
Bco Amazonia S.A.	R$ 12.418.434,00	SÌ	Finanza
Bndes Participacoes S.A. - Bndespar	R$ 77.169.188,00	SÌ	Finanza
Bombril S/A	R$ 1.154.496,00	NO	Cons umoNo Ciclico
Bradesco Leasing S.A. Arrend Mercantil	R$ 89.917.512,00	SÌ	Finanza
Bv Leasing - Arrendamento Mercantil S.A.	R$ 30.867.312,00	SÌ	Finanza
Ccb Brasil Arrendamento Mercantil S.A.	R$ 593.348,00	SÌ	Finanza
Società Imbituba Docks	R$ 506.189,00	NO	Beni industriali
Cia Estadual De Distribuito Ener Elet-Ceee-D	R$ 2.962.165,00	SÌ	Servizi pubblici
Cia Estadual Ger.Trans.Ener.Elet-Ceee-Gt	R$ 2.861.460,00	SÌ	Servizi pubblici
Cia Industrial Schlosser S.A.	R$ 113.825,00	NO	Consumo ciclico
Cobrasma S.A.	R$ 164.403,00	NO	Servizi pubblici
Construtora Sultepa S.A.	R$ 836.768,00	NO	Materiali di base
Energisa S.A.	R$ 4.906.147,00	NO	Servizi pubblici
Società industriale Fibam	R$ 86.577,00	NO	Materiali di base
Fabbrica di posate Hercules S.A.	R$ 6.739,00	SÌ	Consumo ciclico
Inepar S.A. Industria E Costruzioni	R$ 2.670.504,00	SÌ	Materiali di base
Mmx Mineracao E Metalicos S.A.	R$ 3.328.555,00	SÌ	Materiali di base
Mundial S.A. - Prodotti di consumo	R$ 807.916,00	SÌ	Consumo ciclico
Osx Brasil S.A.	R$ 720.950,00	SÌ	Olio.
Pomifrutas S/A	R$ 84.923,00	NO	Cons umo

			Ciclico
Rede Energia S.A.	R$ 3.543.954,00	NO	Servizi pubblici
Refinaria De Petroleos Manguinhos S.A.	R$ 318.362,00	NO	Olio.
Tecblu Tecelagem Blumenau S.A.	R$ 7.145,00	NO	Consumo ciclico
Tecnosolo Engenharia S.A.	R$ 222.134,00	NO	Beni industriali
Teka-Tecelagem Kuehnrich S.A.	R$ 801.504,00	NO	Consumo ciclico
Termelétrica Pernambuco Iii S.A.	R$ 744.214,00	SÌ	Servizi pubblici

Fonte: Dati della ricerca

Nel 2014, come si evince dalla Tabella 2, 27 società hanno subito una modifica della relazione di revisione, con una riserva o con un parere negativo. Di queste società, 13 sono state sottoposte a revisione da parte di una *Big Four* e il totale attivo medio di tutte le società con una modifica della relazione di revisione è stato di 8.811.700,59 reais. Considerando le dimensioni delle società analizzate in virtù del valore dei loro attivi, si evidenzia che Bradesco Leasing S.A. Arrend Mercantil, che opera nel settore finanziario, è la società più grande, con un attivo di 89.917.512,00 reais.

Rispetto ai pareri analizzati nel 2013, in 19 società si sono verificate modifiche alla relazione di revisione.

Infine, per quanto riguarda il settore economico nel 2014, si è notato che sei società facevano parte del settore dei servizi pubblici, sei del settore finanziario, tre del settore dei consumi non ciclici, quattro del settore dei materiali di base, quattro del settore dei consumi ciclici, due del settore petrolifero e due del settore dei beni industriali.

La tabella 3 mostra le società che hanno ottenuto una relazione di revisione alle stesse condizioni per il 2015.

Tabella 3 - Società con relazioni di revisione modificate (2015).

Aziende con opinioni modificate	Totale attività	Audit. Big Four	Settore economico
Andrade Gutierrez Concessoes S.A.	R$ 3.760.054,00	SÌ	Servizi pubblici
Andrade Gutierrez Participacoes S.A.	R$ 4.976.251,00	SÌ	Servizi pubblici
Bco Amazonia S.A.	R$ 12.083.092,00	SÌ	Finanza
Bombril S.A.	R$ 701.474,00	SÌ	Consumi non ciclici
Bradesco Leasing S.A. Arrend Mercantil	R$ 97.688.085,00	SÌ	Finanza
Brb Bco De Brasilia S.A.	R$ 13.746.849,00	SÌ	Finanza
Bv Leasing - Arrendamento Mercantil S.A.	R$ 20.547.828,00	SÌ	Finanza
Ccb Brasil Arrendamento Mercantil S.A.	R$ 373.852,00	SÌ	Finanza
Ccx Carvão Da Colômbia S.A.	R$ 486.144,00	SÌ	Materiali di base
Centrais Elet Bras S.A. - Eletrobras	R$ 149.645.408,00	sì	Servizi pubblici

Cia Estadual De Distribuito Ener Elet-Ceee-D	R$ 3.315.964,00	SÌ	Servizi pubblici
Cia Estadual Ger.Trans.Ener.Elet-Ceee-Gt	R$ 3.036.365,00	SÌ	Servizi pubblici
Cia Industrial Schlosser S.A.	R$ 112.491,00	NO	Consumo ciclico
Cia Saneamento De Minas Gerais-Copasa Mg	R$ 10.930.739,00	SÌ	Servizi pubblici
Cobrasma S.A.	R$ 162.842,00	NO	Servizi pubblici
Energisa S.A.	R$ 18.502.182,00	SÌ	Servizi pubblici
Società industriale Fibam	R$ 73.624,00	NO	Materiali di base
Gpc Participacoes S.A.	R$ 710.682,00	NO	Materiali di base
Fabbrica di posate Hercules S.A.	R$ 7.394,00	SÌ	Consumo ciclico
Hopi Hari S.A.	R$ 271.203,00	NO	Consumo ciclico
Ideiasnet S.A.	R$ 342.002,00	SÌ	Tecnologia Informazioni
Igb Eletrônica S/A	R$ 219.172,00	NO	Consumo ciclico
Industrias J B Duarte S.A.	R$ 129.906,00	NO	Finanza
Mgi - Minas Gerais Participações S.A.	R$ 1.740.139,00	SÌ	Finanza
Mmx Mineracao E Metalicos S.A.	R$ 405.371,00	SÌ	Materiali di base
Mundial S.A. - Prodotti di consumo	R$ 887.634,00	SÌ	Consumo ciclico
Oi S.A.	R$ 97.014.806,00	SÌ	Telecomunicazioni
Osx Brasil S.A.	R$ 8.270.933,00	SÌ	Olio.
Pomifrutas S/A	R$ 110.110,00	NO	Consumi non ciclici
Rede Energia S.A.	R$ 12.936.780,00	SÌ	Servizi pubblici
Refinaria De Petroleos Manguinhos S.A.	R$ 368.995,00	NO	Olio.
Santos Brasil Participacoes S.A.	R$ 2.018.451,00	SÌ	Beni industriali
Tecnosolo Engenharia S.A.	R$ 241.030,00	NO	Beni industriali
Teka-Tecelagem Kuehnrich S.A.	R$ 883.757,00	NO	Consumo ciclico
Viver Incorporadora E Construtora S.A.	R$ 1.307.012,00	NO	Consumo ciclico
Wetzel S.A.	R$ 185.098,00	NO	Beni industriali

Fonte: Dati della ricerca

Secondo la Tabella 3, nel 2015 la relazione di revisione è stata modificata per 36 società, 23 delle quali sono state sottoposte a revisione da parte di una società *delle Big Four* e il totale attivo medio di tutte le società con relazione di revisione modificata è stato di 13.005.381,08 reais. Analizzando le dimensioni delle società che hanno ottenuto una relazione di revisione con un giudizio modificato, abbiamo riscontrato che la società Centrais Elet Bras S.A. - Eletrobras, che opera nel settore dei servizi pubblici, ha il valore patrimoniale più alto, pari a 149.645.408,00 R$, il che indica che tra le altre, questa società è la più grande.

Per quanto riguarda i settori in cui operano le società, si può notare che delle 36 società che hanno avuto la relazione di revisione modificata, nove appartengono al settore dei servizi pubblici, sette al settore finanziario, due al settore dei consumi non ciclici, quattro al settore dei materiali di base, sette al settore dei consumi ciclici, una al settore delle tecnologie dell'informazione, una al settore delle telecomunicazioni, due al settore petrolifero e tre al settore dei beni industriali.

È stato inoltre rilevato che 20 società avevano una relazione di revisione modificata nel 2014 e nel 2015. Inoltre, 15 società hanno avuto una relazione di revisione modificata nei tre periodi analizzati.

4.2 Classificazione delle relazioni con parere modificato.

La relazione di revisione è la conclusione del lavoro svolto dal revisore sui bilanci delle società soggette a revisione in conformità alla normativa. Secondo Moreira et al. (2015), la relazione rappresenta l'analisi e i risultati degli esami svolti dal revisore, comunicando il suo giudizio e mettendolo a disposizione degli utilizzatori delle informazioni.

In termini di natura del giudizio, la relazione di revisione può essere senza riserve, con rilievi, avversa o negativa. Nella ricerca condotta, l'accento è stato posto sulle relazioni presentate dai revisori con un giudizio modificato, ossia con riserve, giudizi negativi e rifiuti di giudizio.

Secondo l'NBC TA 705, che tratta delle Modifiche al giudizio del revisore indipendente, la relazione con rilievi viene presentata quando il revisore svolge il suo lavoro e verifica elementi probatori appropriati e sufficienti che il bilancio della società presenta distorsioni rilevanti ma non diffuse.

Un giudizio negativo viene emesso quando il revisore analizza il bilancio e conclude che esso contiene distorsioni significative e diffuse, in disaccordo con i principi, gli standard e la legislazione in vigore, e non presenta la documentazione contabile valutata in modo affidabile e attendibile (FERREIRA, 2009).

Per quanto riguarda l'astensione dal giudizio, questa viene emessa quando il revisore ha completato il suo lavoro ma non ha elementi sufficienti per dimostrare che le analisi effettuate sul bilancio sono distorte.

In base all'analisi effettuata nell'ambito dell'indagine, la Tabella 4 mostra le aziende che hanno ottenuto una relazione di opinione modificata nel 2013, 2014 e 2015.

Tabella 4 - Società con relazione di revisione con rilievi.

Società con una relazione di revisione con rilievi		
Anno 2013	**Anno 2014**	**Anno 2015**
Bco Amazonia S.A.	B.I. Cia Securitizadora S.A.	Andrade Gutierrez Concessoes S.A.
Bombril S.A.	Bco Amazonia S.A.	Andrade Gutierrez Participacoes S.A.
Bradesco Leasing S.A. Arrend Mercantil	Bndes Participacoes S.A. -Bndespar	Bco Amazonia S.A.
Bv Leasing - Arrendamento Mercantil S.A.	Bombril S/A	Bombril S.A.
Ccb Brasil Arrendamento Mercantil S.A.	Bradesco Leasing S.A. Arrend Mercantil	Bradesco Leasing S.A. Arrend Mercantil
Società Imbituba Docks	Bv Leasing - Arrendamento Mercantil S.A.	Brb Bco De Brasilia S.A.
Cia Energetica De Brasilia	Ccb Brasil Arrendamento Mercantil S.A.	Bv Leasing - Arrendamento Mercantil S.A.
Società statale di distribuzione dell'energia elettrica - Ceee-D	Società Imbituba Docks	Ccb Brasil Arrendamento Mercantil S.A.
Cia Estadual Ger.Trans.Ener.Elet-Ceee-Gt	Società statale di distribuzione dell'energia elettrica - Ceee-D	Centrais Elet Bras S.A. - Eletrobras
Construtora Sultepa S.A.	Cia Estadual Ger.Trans.Ener.Elet-Ceee-Gt	Cia Estadual De Distribuito Ener Elet-Ceee-D
Dibens Leasing S.A. - Leasing	Construtora Sultepa S.A.	Azienda di Stato Generazione trans-elettrica-Ceee-Gt
Energisa Mato Grosso Do Sul -Dist De Energia S.A.	Energisa S.A.	Cia Saneamento De Minas Gerais-Copasa Mg
EnergisaMatoGross o-Distribuidora De Energia S/A	Produzione Hercules S.A. Posate	Energisa S.A.
Gpc Participacoes S.A.	Mundial S.A. - Prodotti di consumo	Società industriale Fibam
Produzione Hercules S.A. Posate	Pomifrutas S/A	Gpc Participacoes S.A.
Inepar S.A. Industria E Costruzione	Rede Energia S.A.	Produzione Hercules S.A. Posate
Laep Investments Ltd.	Raffineria di petrolio Manguinhos S.A.	Hopi Hari S.A.
Mundial S.A. - Prodotti di consumo	Tecblu Tecelagem Blumenau S.A.	Igb Eletrônica S/A
Panatlantica S A.	Termelétrica Pernambuco Iii S.A.	Industrias J B Duarte S.A.
Pomifrutas S/A		Mgi - Minas Gerais Participações S.A.
ProfarmaDistribuz ioneProd Farmaceuticos S.A.		Mundial S.A. - Prodotti di consumo
Raffineria di petrolio Manguinhos S.A.		Oi S.A.
Tecblu Tecelagem Blumenau S.A.		Pomifrutas S/A
Tecnosolo Engenharia S.A.		Rede Energia S.A.
		Refinaria De Petroleos Manguinhos S.A.

| | Santos Brasil Participacoes S.A. |
| | Tecnosolo Engenharia S.A. |

Fonte: Dati della ricerca

Come si può vedere nella Tabella 4, le società in cui i revisori indipendenti hanno riscontrato irregolarità nei bilanci hanno avuto un caveat nella loro relazione di revisione. Dopo aver ricevuto un caveat nella relazione di revisione per il primo esercizio analizzato, si può notare che le società hanno continuato ad avere un caveat negli esercizi successivi.

La tabella 5 mostra le società per le quali è stata emessa una relazione di revisione con nessun giudizio/nessun giudizio nei tre esercizi analizzati, 2013, 2014 e 2015.

Tabella 5 - Società con relazione di revisione con nessun giudizio/nessun giudizio.

Società con un rapporto di revisione con parere negativo/ritenuta		
Anno 2013	**Anno 2014**	**Anno 2015**
Cia Industrial Schlosser S.A.	Cia Industrial Schlosser S.A.	Ccx Carvão Da Colômbia S.A.
Cobrasma S.A.	Cobrasma S.A.	Cia Industrial Schlosser S.A.
Mangels Industrial S.A.	Società industriale Fibam	Cobrasma S.A.
Óleo E Gás Participações S.A.	Inepar S.A. Industria E Costruzione	Ideiasnet S.A.
Osx Brasil S.A.	Mmx Mineracao E Metalicos S.A.	Mmx Mineracao E Metalicos S.A.
Teka-Tecelagem Kuehnrich S.A.	Osx Brasil S.A.	Osx Brasil S.A.
	Tecnosolo Engenharia S.A.	Teka-Tecelagem Kuehnrich S.A.
	Teka-Tecelagem Kuehnrich S.A.	VivereIncorporato raE Construtora S.A.
		Wetzel S.A.

Fonte: Dati della ricerca

La tabella 5 mostra che, quando sono emersi dubbi sulla veridicità delle informazioni presentate nei bilanci di queste società, il revisore indipendente ha preferito emettere il parere di revisione senza riportare il proprio giudizio su tali bilanci. È stato inoltre riscontrato che diverse società hanno avuto ripetute astensioni dal giudizio nei tre periodi analizzati. Pertanto, tenendo conto delle società a cui è stata modificata la relazione di revisione, si è ottenuto il seguente risultato per la percentuale corrispondente alle relazioni con riserve e alle astensioni dal giudizio/parere negativo:

Tabella 1 - Percentuale e frequenza delle società con relazioni di opinione modificate.

Anno base DC	Quantità e totale delle aziende	Con riserva		Avversario	Astensione dal giudizio	
		Percentuale	Frequenza		Percentuale	Frequenza

2013	30	80,00%	24	0	20,00%	6
2014	27	70,37%	19	0	29,63%	8
2015	36	75,00%	27	0	25,00%	9
Total e Genera le	93		70	0		23

Fonte: Dati della ricerca.

In base alla Tabella 1, nell'anno base 2013 è emerso che l'80% delle società ha ricevuto una relazione di revisione con riserve. Nel 2014, le società che hanno ricevuto una relazione di revisione con un giudizio con riserva modificato sono state il 70,37%. Nel 2015, il 75,00% delle società che hanno ricevuto una relazione di revisione con un giudizio modificato aveva un giudizio con riserva.

Inoltre, in relazione a tutte le società quotate sul BM&FBovespa, per un totale di 485 società, è stata calcolata la percentuale di società che hanno ottenuto una relazione con giudizio modificato, con riserve e con l'astensione da un giudizio/negativo rispetto alle relazioni senza riserve delle altre società. Nell'anno base 2013, la percentuale di società che hanno ottenuto una relazione di revisione con giudizio modificato è stata del 6,46%, nell'anno base 2014 le relazioni con giudizio modificato sono state il 5,79% e nel 2015 la percentuale riscontrata è stata del 7,66% di relazioni emesse con giudizio modificato.

4.3 Fattori determinanti per l'emissione di rapporti modificati

Dopo aver raccolto i dati e analizzato i risultati, abbiamo cercato di individuare i fattori determinanti per l'emissione di un bilancio modificato, confrontandolo con i principi contabili e chiarendo la corretta procedura che avrebbe dovuto essere applicata dall'azienda nei suoi controlli interni.

Alla luce di ciò, per motivi di presentazione, la Tabella 6 mostra i fatti che hanno supportato i revisori nell'esprimere un giudizio con riserva.

Tabella 6 - Fattori presentati nelle relazioni di revisione modificate - Con riserva (2013)

Motivi del parere con riserva
Società Bco Amazônia S.A. Limitazione relativa agli accantonamenti per rischi previdenziali

48

incongruenze nei saldi di apertura per l'esercizio chiuso al 31 dicembre 2013; non sono state trovate prove del calcolo effettuato nel conto rettifiche di valutazione di altre attività.

Società Bombril S.A. Inclusione sui saldi di bilancio di questa controllata, a causa della mancanza di documenti di competenza delle autorità italiane.

Bradesco Leasing S.A. Arrend Mercantil. La società ha adeguato il portafoglio di leasing al valore attuale, ma non ha riclassificato i saldi ottenuti tra le attività correnti realizzabili a lungo termine e i proventi e gli oneri di leasing.

Società Cia Docas De Imbituba. Inconclusione sugli importi registrati come investimento, Avviamento per redditività futura attesa, soggetto a un test di recuperabilità che non è stato presentato per l'esercizio 2013.

Società Cia Energética De Brasília. Parte del saldo della voce "Fornitori" della controllata CEB Distribuição S.A., pari a 32,1 milioni di reais al 31 dicembre 2013, è in fase di riconciliazione con i rispettivi documenti giustificativi.

Empresa Cia Estadual De Distriber Elet-Ceee-D. Le passività sono sottovalutate e il patrimonio netto è sovrastimato di 61.359 migliaia di reais al 31 dicembre 2013.

Società Construtora Sultepa S.A. Mancanza di conferma esterna (circolarizzazione) di transazioni e saldi da parte di istituzioni finanziarie; presentazione di test *di svalutazione delle* immobilizzazioni e analisi della costituzione di un fondo per perdite su crediti da contratti di finanziamento con società controllanti indirette

Società Dibens Leasing S.A. - Leasing Mercantile. La società ha adeguato il portafoglio di leasing al valore attuale, ma non ha riclassificato i saldi ottenuti tra le attività correnti realizzabili a lungo termine e i proventi e gli oneri di leasing.

Società Energisa Mato Grosso Do Sul - Dist De Energia S.A. Incertezza e incertezza sulla continuità aziendale della Società, che potrebbe non essere in grado di realizzare le proprie attività ed estinguere le proprie passività nel normale corso degli affari.

Società Energisa Mato Grosso - Dist De Energia S.A. Nessuna conclusione sulla probabilità di realizzare questi crediti d'imposta.

Società Gpc Participações S.A. Disaccordo con i saldi delle lettere di circolarizzazione agli istituti finanziari in relazione ai crediti menzionati nel bilancio e nel piano di recupero giudiziario. Mancanza di crediti corrispondenti a premi, garanzie, equivalenze patrimoniali, per cui non è possibile valutare la capacità di realizzare tali immobilizzazioni e non è possibile individuare eventuali effetti sul bilancio.

Hercules S.A. Cutlery Manufacturing Company. Divergenze nei saldi contabili delle passività e dei profitti e delle perdite relative agli obblighi fiscali, compresi quelli sociali.

Società Inepar S.A. Industria E Construções. Divergenze nei valori e nelle registrazioni contabili delle partecipazioni/attività in vendita, dell'attivo corrente e dell'attivo non corrente, per le quali non è stata presentata la documentazione che ne attesti la realtà.

Mancato riconoscimento della ristrutturazione del debito e degli importi dovuti al BNDES. Incomprensione sull'inclusione dei debiti nei confronti della previdenza sociale, delle imposte federali e dei contributi, che ha comportato lo storno di importi precedentemente registrati nelle passività correnti e non correnti.

Laep Investments Ltd. Perdite operative continue, con una carenza di capitale circolante e un'eccedenza di passività correnti rispetto alle attività correnti, che generano arretrati con i fornitori e obblighi fiscali e oneri sociali scaduti.

La società ha un piano di riorganizzazione giudiziaria da ratificare e sta subendo una procedura di esecuzione giudiziaria che potrebbe portare alla sua liquidazione.

Beni e diritti bloccati dai tribunali.

Empresa Mundial S.A. - Prodotti di consumo. Divergenza nei saldi contabili relativi agli obblighi fiscali e sociali. La società sta rivedendo i propri saldi fiscali con le autorità fiscali, il che ha reso i saldi inconcludenti.

Società Panatlantica S.A. Errata rilevazione del calcolo del Patrimonio Netto: è stato preso in considerazione l'utile netto del periodo precedente alla data di acquisizione della controllata Panatlantica Tubos Ltda. Di conseguenza, nel Conto economico, il risultato di Equity Equivalence è aumentato indebitamente e la Riserva di reinvestimento del capitale proprio è diminuita di tale importo.
Pomifrutas S/A. Errata rilevazione dell'investimento finanziario che viene contabilizzato a valori futuri, che deve avere una base per l'aggiornamento dei titoli, in base alla quale la congruità dell'importo comunicato è diventata inconcludente.
Società Profarma Distrib Prod Farmacêuticos S.A. Inclusione sul processo di acquisizione del 50% delle azioni di Itamaraty Empreendimentos e Participações S.A., iscritta come partecipazione e sui rispettivi saldi di apertura della suddetta partecipata, nonché mancata revisione del bilancio della partecipata.
Refinaria De Petróleos Manguinhos S.A. A seguito del decreto di espropio emesso dal governo dello Stato di Rio de Janeiro, le operazioni di raffinazione e produzione della società sono state drasticamente ridotte, con un impatto sul flusso di cassa.
Tecblu Tecelagem Blumenau S.A. Le attività operative dell'azienda sono state paralizzate senza possibilità di riattivazione.
La società Tecnosolo Engenharia S.A. ha ricalcolato il saldo effettivo delle imposte e dei contributi federali dovuti, non ha calcolato l'effetto dei test di recuperabilità dei valori dei beni conferiti nella sottoscrizione del capitale della società controllata e i saldi dei prestiti bancari e dei finanziamenti sono accantonati con riserva di negoziazione e aggiornamento.

Fonte: Dati della ricerca.

Sulla base delle motivazioni espresse dai revisori e dalle società di revisione nella relazione di revisione come relazione con rilievi, la Tabella 6 mostra che la società Bombril S.A., a causa dell'inconcludenza dei saldi e degli importi corrispondenti alle parti correlate, non ha ottenuto la documentazione necessaria a comprovare gli importi indicati nel bilancio, con un impatto sulla non conformità al NBC T 11 (2007) che richiede la consegna della lettera di responsabilità della direzione, a causa del fatto che la società sottoposta a revisione non ha nemmeno fornito tutta la documentazione necessaria al revisore per redigere la relazione di revisione, tenendo conto della mancanza di accesso alla documentazione che rientra nei poteri delle autorità italiane.

Cia Docas De Imbituba e Profarma Distrib. Prod. Farmacêuticos S.A., vi è stato un difetto nella valutazione delle partecipazioni, dovuto alla mancanza di prova che le rettifiche relative alle partecipazioni, derivate da acquisizioni di azioni di società controllate, siano state effettivamente effettuate e che abbiano rilevanza contabile, in quanto le società controllate non hanno sottoposto a revisione i loro bilanci e non hanno avuto prova dei saldi comunicati.

La società Refinaria De Petróleos Manguinhos S.A. ha avuto un impatto significativo sul suo flusso di cassa, in quanto le sue azioni sono state drasticamente ridotte, a causa del Decreto 43.892 del 15 ottobre 2012, che prevede l'esproprio di terreni federali da parte del Governo dello Stato di Rio de Janeiro. Di conseguenza, i revisori dei conti non sono stati in grado di dimostrare la continuità operativa della società, tenendo conto della NBC TA 570 (2010), che riguarda la continuità operativa.

Per quanto riguarda Energisa Mato Grosso Do Sul - Dist De Energia S.A., l'inconcludenza riguarda la continuità aziendale: la società sta attraversando difficoltà finanziarie ed è sottoposta a un processo di riorganizzazione giudiziaria, il che lascia dubbi sulla sua continuità operativa, poiché incide sul principio contabile stabilito nella NBC TA 570 (2010).

Per quanto riguarda Energisa Mato Grosso - Dist. De Energia S.A., la riserva riguardava la realizzazione dei crediti fiscali, l'indebitamento e la capacità di pagamento. A causa dell'incertezza della continuità operativa, il revisore non è stato in grado di dire se la società sarà in grado di utilizzare i crediti fiscali presentati nel bilancio. D'altra parte, Inepar S.A. Indústria e Construções ha presentato una riserva sulla realizzazione dei debiti previdenziali perché ha richiesto una nuova inclusione dei debiti fiscali, delle imposte federali e dei contributi all'Agenzia Federale delle Entrate brasiliana (RFB), e la società ha stornato questi importi registrati nelle Passività correnti e non correnti, laddove la procedura corretta da seguire, in conformità al CPC 25 (2009), sarebbe stata quella di lasciare un accantonamento per l'importo dovuto nelle Passività correnti e non correnti e di indicare la possibilità di storno solo in una nota esplicativa in attesa del parere finale dell'RFB.

Sono stati riscontrati problemi anche in relazione all'applicazione dei test di recuperabilità, che secondo Silva et al. (2006) il test di recuperabilità, noto anche come *impairment test, è il* metodo utilizzato per adeguare le attività alla loro reale capacità di ritorno economico. Così, le società Cia Docas De Imbituba, Construtora Sultepa S.A., Gpc Participações S.A. e Tecnosolo Engenharia S.A. hanno osservato che l'applicazione dei test di recuperabilità deve essere rispettata in conformità agli International Financial Reporting Standards (IFRS), in linea con la Technical

Pronouncement CPC 01, che stabilisce che quando un'attività subisce un avviamento o un avviamento negativo, l'apprezzamento o la svalutazione devono essere dimostrati attraverso un test di recuperabilità, che non è stato presentato dalle società.

Nei pareri qualificati sono stati citati motivi legati a incongruenze nei saldi e negli importi degli obblighi fiscali e del lavoro. Nel caso di Hercules Fábrica de Cutlery S/A e di Mundial S.A. - Produtos de Consumo, sono stati individuati problemi relativi agli obblighi fiscali e previdenziali, in base ai quali le conferme esterne effettuate con gli organi competenti hanno evidenziato saldi diversi da quelli comunicati dalle società nei loro bilanci.

La Construtora Sultepa S.A. ha avuto problemi anche per quanto riguarda la conferma esterna con le istituzioni finanziarie, tramite una lettera di circolarizzazione, in quanto la società di revisione ha richiesto documenti per dimostrare l'accuratezza dei saldi indicati nel bilancio e questi non sono stati resi disponibili, rendendo impossibile la conferma di tali saldi. Tuttavia, per quanto riguarda Grupo Gpc Participações S.A., la conferma esterna da parte delle istituzioni finanziarie ha individuato distorsioni nei saldi presentati nel passivo che potrebbero avere un impatto sulla situazione economica della società, identificando la non conformità con il CPC 00 (2011).

Per quanto riguarda il bilancio di Panatlântica S.A., si è verificata un'errata rilevazione del calcolo dell'equivalenza patrimoniale, previsto dal CPC 18 (2012), che riguarda le partecipazioni in società collegate, controllate e joint venture. In questo caso, è stato erroneamente preso in considerazione l'utile netto del periodo precedente alla data di acquisizione della controllata Panatlântica Tubos Ltda, aggiungendo impropriamente l'importo dell'equivalenza patrimoniale della partecipazione al conto economico dell'esercizio, alterando il saldo attendibile della riserva di reinvestimento del patrimonio netto costituita dalla società.

Per quanto riguarda Pomifrutas S.A., è stata individuata l'errata rilevazione dell'investimento finanziario contabilizzato a valori futuri, che avrebbe dovuto essere rilevato al valore principale in conformità con le pratiche contabili adottate in Brasile, come stabilito nel CPC 12 (2008), che tratta l'adeguamento al valore attuale, comprovato dalla base per l'aggiornamento dei titoli, poiché non è stata presentata dalla società, in base alla quale l'adeguatezza dell'importo divulgato è diventata inconcludente.

La relazione di revisione di Tecblu Tecelagem Blumenau S.A. contiene un'avvertenza dovuta al fatto che le sue attività operative sono state paralizzate e non si prevede che vengano riattivate.

Inoltre, è stata menzionata l'esistenza di processi di riorganizzazione giudiziaria, come nel caso delle società Laep Investments Ltd. e Gpc Participações S.A., il cui attivo è inferiore al passivo, rendendo impossibile la liquidazione e il pagamento dei creditori. Abbiamo anche individuato processi di revisione del saldo fiscale effettuati da Mundial S.A. - Produtos De Consumo e Hercules S.A. Fábrica De Cutlery, sono stati identificati con le autorità fiscali, in conformità con la legislazione fiscale, rivedendo i saldi fiscali che differivano dopo la conferma esterna.

Proseguendo nell'analisi effettuata nel 2013, la tabella 7 mostra i fattori che hanno sostenuto l'emissione del rapporto con l'astensione del parere.

Tabella 7 - Fattori presentati nelle relazioni di revisione modificate - Revoca del giudizio (2013)

Motivi dell'astensione
Società Cia Industrial Schlosser S.A.: autorità fiscali, istituzioni finanziarie e consulenti legali e mancato rispetto del principio contabile della continuità operativa nella redazione del bilancio. Mancanza di un test di recuperabilità per i propri beni, mancata presenza del revisore indipendente nell'indagine sull'inventario, ammortamento delle immobilizzazioni non effettuato, assenza di circolarizzazione con
Società Cobrasma S.A.: Mancata circolarizzazione con i consulenti legali sulle cause in cui la società è convenuta, dubbi sulla possibilità di estinguere le obbligazioni e impossibilità di confermare i saldi indicati nelle passività relative a contratti con istituzioni finanziarie ed enti pubblici.
Società Mangels Industrial S.A.: la società ha presentato istanza di riorganizzazione giudiziaria, a seconda che il piano venga approvato o meno per la normale continuità aziendale. Nel 2013 ha registrato perdite accumulate e le passività correnti hanno superato le attività correnti.
Empresa Óleo e Gás Participações S.A.: ha chiuso il 2013 con perdite accumulate, le passività superano le attività e dipende dalla presentazione del piano di riorganizzazione giudiziaria.
Società OSX Brasil S.A.: piano di riorganizzazione giudiziaria in corso, perdite accumulate e mancanza di documentazione a supporto degli importi in bilancio.
Società Teka-Tecelagem Kuehnrich S.A.: patrimonio netto negativo e passività superiori alle attività correnti. L'azienda presenta un elevato livello di indebitamento, soprattutto in relazione alle imposte e agli oneri sociali, mettendo in dubbio la sua continuità operativa. Il patrimonio netto, l'utile d'esercizio, le passività e le attività non correnti sono sovrastimati. Le lettere di circolarizzazione non sono state restituite

nella loro interezza e il conto degli investimenti presenta voci prive di prove documentali.

Fonte: Dati della ricerca

La tabella 7 mostra che, per quanto riguarda la relazione modificata della società Cia Industrial Schlosser S.A., sono stati individuati diversi fattori che hanno portato all'emissione di un parere di astensione dal giudizio, tra cui l'assenza di un test di recuperabilità come richiesto dal CPC 01 (2010), che riguarda il valore recuperabile delle attività. Inoltre, la società di revisione non ha dato seguito al controllo fisico delle scorte registrate nel bilancio di quest'anno, Non è stato nemmeno individuato il calcolo e la registrazione dell'ammortamento delle immobilizzazioni, in violazione del CPC 27 (2009), che stabilisce il trattamento contabile delle immobilizzazioni.

La società Cia Industrial Schlosser S.A. mancava anche di dichiarazioni e/o posizioni delle autorità fiscali, impedendo la conferma dei saldi indicati nei conti del passivo fiscale. Mancavano anche le dichiarazioni e/o le posizioni delle autorità fiscali, impedendo la conferma dei saldi indicati nei conti delle imposte e delle passività fiscali. Non sono state inoltre ricevute le conferme esterne richieste ai consulenti legali e alle istituzioni finanziarie della società, e non sono state ancora identificate le eventuali passività potenziali e tutti i saldi bancari presentati nei conti delle banche e delle istituzioni finanziarie devono essere confermati. Inoltre, il bilancio è stato redatto nel presupposto di una normale continuità operativa, ma la società ha registrato perdite consecutive e un significativo deficit di capitale circolante. È stato rilevato che nel 2010 la società ha paralizzato le proprie attività, nel 2011 ha presentato istanza di riorganizzazione giudiziaria e solo nel 2012 ha ripreso le attività operative. Questi fattori mettono in dubbio la continuità operativa della società e quindi la conferma da parte della revisione contabile che la società svolgerà normalmente le proprie attività nel prossimo esercizio.

Per quanto riguarda la società Cia Cobrasma S.A., ci siamo astenuti dall'esprimere un giudizio sul suo bilancio a causa della mancanza di conferme esterne (circolarizzazione) sui procedimenti giudiziari in corso in cui la società è convenuta. È impossibile misurare la sufficienza dei saldi indicati nei conti di accantonamento riportati nel bilancio della società, a causa della mancanza di informazioni sulla probabilità di perdite. È stato inoltre rilevato che la società è inattiva, ossia non sta generando fondi sufficienti per saldare i debiti, i suoi creditori stanno già discutendo in tribunale il valore dei debiti, quali diritti hanno sui suoi beni e quali valori saranno attribuiti a tali beni in caso di liquidazione dei debiti. Non è stato inoltre possibile identificare i saldi con le istituzioni finanziarie e gli enti pubblici. Gli importi iscritti nelle passività della società sono stati calcolati sulla base dei contratti di prestito e di finanziamento sottoscritti e delle informazioni fornite dai consulenti legali.

Per quanto riguarda Mangels Industrial S.A. e Óleo Gás Participações S.A., è stata rilevata l'esistenza di un processo di recupero giudiziario e non è stato possibile determinare i bilanci a causa della dipendenza dall'approvazione del piano da parte dei creditori e anche dal risultato della sua esecuzione. Inoltre, le società hanno chiuso il 2013 con perdite accumulate e le loro passività correnti hanno superato le attività correnti, lasciando dubbi sulla possibilità di redigere i bilanci sulla base della normale continuità delle attività delle società, dato che entrambe hanno bisogno di fattori esterni per rimanere in attività.

Secondo l'analisi effettuata nel parere emesso per OSX Brasil S.A., sono stati individuati gli stessi problemi nelle società sopra citate in relazione alla continuità operativa, come la dipendenza da fattori esterni per l'adempimento e l'esecuzione del piano di risanamento giudiziario, nonché le perdite accumulate a fine anno. Tuttavia, la società non ha nemmeno presentato la documentazione di supporto relativa agli importi iscritti nelle immobilizzazioni, ai vari anticipi e ai debiti verso parti correlate, rendendo impossibile concludere sulla veridicità delle registrazioni nel bilancio 2013.

Per quanto riguarda Teka-Tecelagem Kuehnrich S.A., è emerso che il patrimonio netto alla fine del 2013 era negativo e le passività superavano le attività correnti. La società ha un elevato livello di indebitamento, soprattutto in relazione alle imposte e agli oneri sociali, e ha in corso una causa per compensare questi saldi debitori. La società ha rilevato questo importo senza una valutazione definitiva da parte dell'Agenzia Federale delle Entrate brasiliana, per cui non è possibile concludere sulla questione e sulla corretta iscrizione in bilancio. Questo indebitamento squilibra la capacità di liquidità a breve e a lungo termine della società, sollevando incertezze sulla normale continuità dell'attività aziendale.

Inoltre, il patrimonio netto e l'utile d'esercizio di Teka-Tecelagem Kuehnrich S.A. sono stati sovrastimati, in quanto la società ha versato anticipi che non si prevede di realizzare e avrebbe dovuto iscriverli in un fondo perdite stimato, cosa che non è avvenuta. Il bilancio ha inoltre evidenziato una sovrastima delle passività e delle attività non correnti, che avrebbero dovuto essere esposte su base netta, in conformità al pronunciamento tecnico CPC 32 - Imposte sul reddito. I revisori non hanno ricevuto la restituzione di alcune lettere di circolarizzazione da parte di istituti finanziari, e alcune di quelle restituite presentavano saldi diversi da quelli contabili; inoltre, la società ha ricevuto terreni da clienti a titolo di saldo dei debiti, ma senza la prova di un atto o di un altro documento che garantisse la proprietà di tali investimenti.

Tabella 8 - Fattori presentati nelle relazioni di revisione modificate - Con riserva (2014)

Motivi del parere con riserva
Società B.I. Cia Securitizadora S.A. Mancato riconoscimento Riduzione del valore di recupero delle attività.
La società Bco Amazônia S.A. ha dichiarato di avere fondi sufficienti per coprire i probabili deflussi di fondi dovuti a richieste legali, ma è stato notato che la società ha la capacità di coprire il 50%. Mancata copertura parziale degli importi di base.
Società Bndes Participações S.A. - Bndespar. Mancata rilevazione della svalutazione di un investimento in azioni privilegiate di un emittente, classificate nella categoria disponibile per la vendita. Mancata divulgazione di bilanci rivisti o revisionati che contemplino gli effetti di possibili perdite, nonché di altre incertezze significative.
Bombril S/A. Inclusione sui saldi di bilancio di questa controllata, a causa della mancanza di documenti di competenza delle autorità italiane.
Bradesco Leasing S.A. Arrend Mercantil. La società ha adeguato il portafoglio di leasing al valore attuale, ma non ha riclassificato i saldi ottenuti tra le attività correnti realizzabili a lungo termine e i proventi e gli oneri di leasing.
Società Cia Docas De Imbituba. Inconclusione sugli importi registrati come investimenti, avviamento per la redditività futura attesa, soggetto a un test di recuperabilità che non è stato presentato.
Società Cia Estadual De Distriber Elet-Ceee-D. Il passivo è più basso, il patrimonio netto è più alto e la perdita dell'esercizio è più bassa, al netto degli effetti fiscali.
Società Construtora Sultepa S.A. Mancanza di conferma esterna (circolarizzazione) delle transazioni e dei saldi delle istituzioni finanziarie e delle loro controllate. Uso errato del bilancio del trimestre precedente per il calcolo dell'equivalenza patrimoniale.
Società Energisa S.A. Inclusione sui saldi, sulla documentazione e sui valori dei crediti verso il governo di Tocantins.
Hercules S.A. Cutlery Manufacturing Company. Una discrepanza tra i saldi dei conti fiscali e i saldi comunicati dalle autorità fiscali nel 2013, che non è ancora stata finalizzata.
Empresa Mundial S.A. - Prodotti di consumo. Divergenza nel calcolo del saldo finale degli obblighi fiscali e previdenziali.

Pomifrutas S/A. Errata rilevazione dell'investimento finanziario che viene contabilizzato a valori futuri, che deve avere una base di aggiornamento dei titoli, in base alla quale l'adeguatezza dell'importo comunicato è diventata inconcludente.
La controllata Energisa Tocantins - Distribuidora de Energia S.A. vanta crediti nei confronti del Governo dello Stato di Tocantins, i cui saldi, documentazione e importi non sono definitivi.
Società Refinaria De Petróleos Manguinhos S.A. Le operazioni di raffinazione e produzione hanno risentito del decreto di esproprio emesso dal Governo dello Stato di Rio de Janeiro, influenzando il flusso di cassa che ha evidenziato obblighi fiscali da pagare per un importo consolidato di 329.362,00 R$ e 342.862,00 nella società madre.
Tecblu Tecelagem Blumenau S.A. Le attività operative dell'azienda sono state paralizzate senza possibilità di riattivazione.

Fonte: Dati della ricerca.

Secondo la Tabella 8, le società che hanno ricevuto un giudizio con rilievi si sono basate su problemi legati al recupero degli asset, come dimostra la società B. I. Scuritizadora S.A., per cui la società non ha rispettato le linee guida contenute nel documento NBC TG 01 (R2) - Riduzione del valore di recupero delle attività, che dovrebbe essere rivisto e verificato alla fine di ogni esercizio finanziario e analizzato dal controllo interno. In assenza di tali informazioni, i revisori hanno concluso che non era possibile determinare l'esistenza di eventuali rettifiche e i loro possibili effetti sulle attività della società e gli effetti sul conto economico, sui flussi di cassa e sulle variazioni del patrimonio netto del periodo.

Per quanto riguarda il Banco Amazônia S.A., si può notare che l'avvertenza è stata la mancanza di informazioni relative alla base di calcolo delle sopravvenienze previdenziali, legate a questioni attuariali, e non è stato possibile dimostrare gli importi di esborso dei flussi di cassa futuri, previsti dal CPC 25 (2009), che stabilisce la misurazione degli accantonamenti per passività potenziali.

In relazione ai bilanci 2014 di BNDES Participações S.A. - BNDESPAR, è stata riscontrata una situazione analoga per le società Cia Docas De Imbituba e Profarma Distrib. Prod. Farmacêuticos S.A. nel 2013, per quanto riguarda la rivalutazione e la rilevazione dei possibili costi e perdite degli investimenti effettuati da queste società che potrebbero avere un impatto sul risultato presentato a fine anno.

In conformità al CPC 06 (2010), che riguarda le operazioni di leasing, la società Bradesco Leasing S.A. Arrend. Mercantil, ha ricevuto una riserva in relazione all'applicazione delle norme sul leasing stabilite dal BACEN, senza presentare il bilancio in conformità ai principi contabili internazionali adottati in Brasile, finalizzati alla divulgazione dei bilanci economici e finanziari agli utenti esterni.

La società Cia Docas de Imbituba S.A. ha riscontrato il ripetersi dei fattori che avevano portato all'emissione di un giudizio con rilievi nel 2013, relativi alla mancata valutazione degli investimenti e all'assenza di test di recuperabilità.

Per quanto riguarda la società Cia Estadual De Distriber Elet-Ceee-D, è stato riscontrato che avrebbe dovuto riconoscere il deficit attuariale solo attraverso un accordo approvato tra le parti (sponsor e partecipante). Una volta effettuato tale riconoscimento, la società ha presentato il bilancio con un passivo inferiore e un patrimonio netto superiore, in violazione del principio contabile della prudenza.

Analizzando la relazione di revisione emessa nei confronti di Construtora Sultepa S.A., si è riscontrato che nel 2014 non c'è stato alcun riscontro da parte degli istituti finanziari sulla conferma esterna dei saldi esposti nel bilancio della società, come invece era avvenuto nel 2013, inducendo i revisori a utilizzare procedure alternative a supporto del loro giudizio. È stato inoltre riscontrato che la società ha utilizzato il bilancio di prova della sua controllata, datato 30 settembre 2014, come base per la preparazione e la divulgazione del bilancio, poiché il punto I dell'articolo 248 della Legge 6.404/76 stabilisce che il valore del patrimonio netto della società collegata o controllata deve essere determinato sulla base di un bilancio o di un bilancio di prova redatto alla stessa data, o non più di 60 (sessanta) giorni prima della data del bilancio della società.

Per quanto riguarda le società Energisa S.A. e Rede Energia S.A., non è stato possibile accertare i saldi, la documentazione e i valori dei crediti vantati nei confronti del Governo dello Stato di Tocantins, a causa della mancanza di analisi e documentazione che comprovino la valutazione e soprattutto le condizioni di realizzazione di tali attività.

Per quanto riguarda la società Hercules S.A. Fabrica De Cutlery S.A., gli stessi fattori che hanno portato all'emissione di una relazione di revisione con riserva, presenti nel 2013, sono persistiti nel 2014, impedendo la convalida dei saldi degli oneri fiscali e previdenziali. Per quanto riguarda Mundial S.A. - Produtos de Consumo, che presentava anch'essa discrepanze nei saldi contabili dei conti fiscali e sociali per le imposte da pagare rispetto ai saldi presentati dagli organi competenti, nel 2014 ha calcolato tali saldi, ma non è stato possibile verificare gli impatti che tali rettifiche potrebbero avere sui conti economici e patrimoniali, rispetto agli anni precedenti in cui questo problema era già stato identificato.

Per quanto riguarda la società Pomifrutas S.A., è stato riscontrato che la distorsione che ha portato il revisore a emettere un giudizio con riserva nel 2013 è persistita nel 2014. La società ha erroneamente rilevato l'investimento finanziario che, in base al CPC 12 (2012), che prevede l'adeguamento al valore attuale, avrebbe dovuto essere rilevato al valore attuale/principale, causando dubbi sugli importi indicati nel bilancio della società.

La società Refinaria De Petróleos Manguinhos S.A. ha avuto lo stesso problema del 2013, a causa del decreto 43.892 del 15 ottobre 2012, che prevedeva l'esproprio di terreni federali da parte del governo dello Stato di Rio de Janeiro, e non è stato possibile dimostrare la sua continuità operativa.

Per quanto riguarda Tecblu Tecelagem Blumenau S.A., permane lo stesso motivo per cui è stato emesso un giudizio con rilievi per il 2013, dove le attività della società sono state paralizzate.

Per quanto riguarda le relazioni emesse con esclusione del giudizio nel 2014, la tabella 9 mostra le società che hanno ottenuto questo tipo di relazione dopo la conclusione del lavoro del revisore.

Tabella 9 - Fattori presentati nelle relazioni di revisione modificate - Ritiro del giudizio (2014)

Motivi dell'astensione
La società Cia Industrial Schlosser S.A. non ha presentato un test di recuperabilità delle attività, né la circolarizzazione con le autorità fiscali e le istituzioni finanziarie e il mancato rispetto del principio contabile della continuità aziendale. Motivi ricorrenti dal 2013.
Società Cobrasma S.A. Mancata circolarizzazione con i consulenti legali e mancato rispetto del principio di continuità operativa, secondo il 2013.
Fibam Companhia Industrial S.A. è sottoposta a un processo di riorganizzazione giudiziaria e la risposta e l'applicazione di questo processo comporterà effetti significativi sul bilancio 2014, lasciando dubbi sulla continuità operativa della società.
Società Inepar S.A Industria e Construções La società è in attesa di una risposta alla sua richiesta di riorganizzazione giudiziaria, in quanto ciò avrà un effetto significativo sul bilancio di quest'anno. Ha

inoltre richiesto la ricomposizione dei debiti nei confronti della previdenza sociale e delle imposte e contributi federali, dove si evince che tali debiti sono stati erroneamente registrati nel bilancio 2013. Ha inoltre presentato problemi con la contabilizzazione delle scorte e delle attività svolte con la sua controllata e ha espresso dubbi sulla continuità operativa dell'azienda.

MMX Mineracao e Metalicos S.A. Dipende dall'approvazione della richiesta di riorganizzazione giudiziaria per verificare i bilanci di quest'anno. La società ha registrato perdite che creano incertezze sulla sua continuità operativa. Sono stati riscontrati problemi anche nei controlli interni legati alla preparazione dei bilanci, che lasciano dubbi sulla realizzazione delle attività e sulla liquidazione delle passività.

La società Tecnosolo Engenharia S.A. è in attesa del calcolo dei saldi delle imposte e dei contributi federali dovuti, che viene effettuato dalla RFB, per poterli confrontare con i saldi presentati in bilancio. Inoltre, non ha presentato un test di recuperabilità per le attività relative alla sua controllata ed è in attesa di trattative su prestiti e finanziamenti che potrebbero comportare modifiche al bilancio di quest'anno.

Società Teka-tecelagem Kuehnrich S.A. La società ha registrato perdite costanti che mettono in dubbio la sua continuità operativa, pertanto avrebbe dovuto presentare un test di recuperabilità delle sue attività, che non è stato effettuato. Questi fattori ci impediscono di identificare quando, come e per quanto le attività saranno realizzate e le passività estinte.

Fonte: Dati della ricerca

Per quanto riguarda il bilancio 2014 della società Cia Industrial Schlosser S.A., è stato riscontrato che le motivazioni per il rilascio del giudizio con astensione sono le stesse presentate nel 2013, in quanto la società ancora una volta non ha presentato i test di recuperabilità delle attività, né la circolarizzazione con l'Agenzia delle Entrate per quanto riguarda i saldi dei conti delle imposte e dei debiti tributari, né la circolarizzazione con i legali e le istituzioni finanziarie per quanto riguarda i procedimenti giudiziari in corso e

i saldi dei conti bancari riportati in bilancio e, ancora una volta, non è stato rispettato il principio contabile della continuità operativa nella preparazione, divulgazione e presentazione del bilancio della società nel suo complesso.

Per quanto riguarda la società Cobrasma S.A., si ripetono le stesse motivazioni che hanno portato all'emissione di un parere di revisione per il 2013, in quanto non è stata ancora presentata la circolare con i consulenti legali sullo stato delle cause in cui la società è imputata e, a causa dell'inattività della società, non sta generando fondi e non è possibile verificare se sarà in grado di saldare le proprie obbligazioni.

La relazione di revisione di Fibam Companhia Industrial S.A. si astiene dal giudizio a causa del fatto che la società ha presentato domanda di riorganizzazione giudiziaria ed è in attesa di una risposta a tale domanda. L'approvazione e l'esito del piano di riorganizzazione giudiziaria avranno un effetto sul bilancio 2014, pertanto i revisori non possono confermare se tale bilancio debba essere redatto tenendo conto della normale continuità delle operazioni della società. Queste incertezze impediscono inoltre ai revisori di trarre conclusioni su come, quando e per quali importi le attività saranno realizzate e le passività estinte.

La società Inepar S.A Industria e Construções ha presentato diverse ragioni per l'astensione dal giudizio sul bilancio della società. Le ragioni addotte sono state il fatto che la società ha presentato domanda di riorganizzazione giudiziaria e che questa non è ancora stata approvata alla data della revisione contabile indipendente, in quanto l'esito di tale domanda genera effetti significativi sul bilancio e dubbi significativi sulla continuità operativa dell'attività della società. Inoltre, la società e le sue controllate hanno presentato domanda per il regime di rateizzazione Refis, attraverso la Legge n. 12.865/13 del 9 ottobre 2013, chiedendo l'inclusione dei debiti previdenziali, delle imposte e dei contributi federali consolidati con l'Agenzia Federale delle Entrate brasiliana. Dopo il consolidamento, si è notato che i debiti registrati nel bilancio 2013 erano in disaccordo con le disposizioni di questa Legge e lo storno è stato effettuato in modo inappropriato. È stato inoltre rilevato che la controllata IESA Óleo e Gás S.A. non ha effettuato il conteggio fisico dell'inventario alla fine del 2014. Il bilancio registra la partecipazione di minoranza della controllata indiretta IESA Óleo e Gás S.A. in attività svolte sotto forma di consorzi nel conto Clienti interni, ma non sono stati trovati elementi di revisione sufficienti a comprovare questi saldi registrati, il che lascia il dubbio che debbano essere rettificati e di conseguenza modificati nel bilancio.

La società MMX Mineração e Metálicos S.A., così come Inepar S.A. Industria e Construção, Fibam Companhia Industrial S.A e Teka-tecelagem Kuehnrich S.A dipendono dall'approvazione della richiesta di riorganizzazione giudiziaria per verificare i loro effetti sul bilancio 2014. Inoltre, la società ha subito perdite individuali e consolidate negli ultimi anni, generando una significativa incertezza sulla sua continuità operativa e sulle basi per la preparazione dei bilanci individuali e consolidati. La società presenta anche una debolezza sostanziale nei controlli interni relativi al processo di preparazione del bilancio, generando un'alta probabilità di errori che non sono stati prevenuti o individuati in modo tempestivo. Queste incertezze non consentono ai revisori di concludere su come, quando e per quali importi le attività saranno realizzate e le passività estinte.

Secondo Tecnosolo Engenharia S.A., l'Agenzia delle Entrate brasiliana sta valutando i saldi delle imposte e dei contributi federali dovuti, al fine di concludere un processo di rateizzazione consolidato. Sebbene la società abbia accantonato un saldo passivo significativo, tenendo conto delle compensazioni fiscali, non è stato possibile determinare l'importo finale consolidato a causa dell'attesa dell'approvazione da parte di questo ente. Inoltre, la società non ha presentato il test di recuperabilità per le attività relative alla controllata Tecnosolo Serviços de Engenharia S.A., impedendo di esprimere un parere sulla portata di tali rettifiche. Inoltre, i prestiti e i finanziamenti sono stati accantonati e sono soggetti a negoziazione e aggiornamento, i cui effetti saranno noti solo al termine di tali negoziati.

Nel bilancio di Teka-tecelagem Kuehnrich S.A. sono state individuate perdite costanti, che generano significative incertezze sulla continuità operativa della società e delle sue controllate; tuttavia, anche in presenza di tale incertezza, la società ha classificato le proprie attività sulla base del presupposto della normale continuità operativa. Di conseguenza, in base al CPC 01 (2010), la società deve effettuare un test di recuperabilità delle proprie attività, che non è stato presentato ai revisori indipendenti, impedendo loro di valutare l'esistenza di eventuali perdite sulle attività iscritte al di sopra del valore recuperabile attraverso l'uso o la vendita. Tenendo conto di tutti i fattori già menzionati, non è possibile identificare come, quando e per quali importi le attività saranno realizzate e le passività estinte, né è possibile valutare il valore delle perdite o degli utili registrati per le attività già realizzate e le passività ancora da estinguere.

La tabella 10 mostra i fattori che hanno portato le società di revisione a redigere una relazione con riserve.

Tabella 10 - Fattori presentati nelle relazioni di revisione modificate - Con riserva (2015)

Motivi del parere con riserva
Società Andrade Gutierrez Concessões S.A. Rischi legati alla conformità a leggi e regolamenti dell'investimento indiretto in Norte Energia S.A. al 31 dicembre 2015.
Bombril S.A. Il bilancio della società non è disponibile.
Bradesco Leasing S.A. La società ha adeguato il proprio portafoglio di leasing al valore attuale, ma non ha riclassificato i saldi ottenuti.
Società Brb Banco De Brasilia S.A. Le passività sono diminuite di 211.315,00 reais a causa della non considerazione dell'obbligo attuariale del piano pensionistico e il patrimonio netto è aumentato di 126.78,00 reais, al netto degli effetti fiscali.
La società Bv Leasing - Arrendamento Mercantil S.A. ha adeguato il proprio portafoglio di leasing al valore attuale, ma non ha riclassificato i saldi ottenuti nelle attività correnti e a lungo termine, nonché i proventi e gli oneri del leasing.
Società Centrais Elet Bras S.A. - Eletrobras. Rischi legati alla conformità a leggi e regolamenti - Lava Jato. L'azienda è venuta a conoscenza dell'esistenza di presunti atti illegali (presunti pagamenti di tangenti) che sono oggetto di indagine da parte di una società appaltatrice. Poiché tali azioni sono ancora sono in corso, senza alcuna conclusione, i possibili impatti non possono essere stimati nel bilancio.
Società Cia Saneamento De Minas Gerais-Copasa Mg. Mancato riconoscimento della rinuncia ai diritti contrattuali presentati in bilancio come passività non correnti obbligazioni, altri prestiti e finanziamenti, che sarebbero quindi classificati come passività correnti.
Società Energisa S.A. Inclusione sui saldi, la documentazione e i valori dei crediti verso il Governo del Tocantins.
Fibam Industrial Company. Mancanza di conferma esterna (circolarizzazione) delle transazioni e dei saldi da parte delle istituzioni finanziarie e dei loro fornitori. Le imposte e i contributi federali non vengono pagati regolarmente, soprattutto a rate, e non è possibile misurare l'importo in sospeso.
Società Hercules S.A. Fabrica De Cutlery. L'azienda ha pagato i suoi obblighi federali in modo rateale nel 2013, quindi ci sono state differenze non riconciliate nei saldi degli obblighi fiscali e sociali, dove queste differenze sono state rettificate solo nel 2014, senza la dovuta analisi e rettifica degli importi, rendendo inconcludenti i possibili impatti sul risultato.
Hopi Hari S.A. ha accumulato perdite, con passività correnti che superano le attività correnti di un importo significativo, e un patrimonio netto negativo, che indica una significativa incertezza sulla capacità della **società di continuare a operare** come un'entità in funzionamento.
Società Igb Eletrônica S/A. Mancato calcolo e riconoscimento dei test di recuperabilità delle immobilizzazioni (terreni, fabbricati e impianti) per usura/svalutazione nel 2015.
Società Industrias J B Duarte S.A. Mancanza di conferme esterne (circolarizzazione) da parte di avvocati con informazioni su cause civili intentate da istituzioni finanziarie e cause fiscali intentate contro la società. Le imposte e i contributi federali non sono stati pagati regolarmente, soprattutto i debiti rateizzati nell'ambito del programma REFIS, e non è possibile misurare l'importo in sospeso.
Società Mgi - Minas Gerais Participações S.A. Ci sono molti accordi scaduti senza la rispettiva convalida della resa dei conti da parte delle Segreterie, quindi non ha controlli interni per l'ispezione fisica di questi accordi. Inclusione sugli impatti fiscali e societari delle rettifiche degli anni passati.
Empresa Mundial S.A. - Prodotti di consumo. Rettifica dei saldi relativi agli obblighi fiscali e previdenziali da pagare, senza che tali importi siano stati rettificati, rendendo inconcludente il possibile impatto sul risultato dell'esercizio. Tale questione potrebbe avere un effetto sulla comparabilità dei valori del periodo corrente con quelli corrispondenti.
Pomifrutas S/A. Il patrimonio netto della società è sottostimato nel bilancio consolidato.
Rede Energia S.A. La controllata Energisa Tocantins - Distribuidora de Energia S.A. vanta crediti nei confronti del Governo dello Stato di Tocantins, i cui saldi, documentazione e importi non sono definitivi.
Società Refinaria De Petróleos Manguinhos S.A. Le operazioni di raffinazione e produzione hanno risentito del decreto di esproprio emesso dal Governo dello Stato di Rio de Janeiro, influenzando il

flusso di cassa che ha evidenziato obblighi fiscali da pagare per un importo consolidato di 329.362,00 R$ e 342.862,00 R$ nella società madre.
Società Santos Brasil Participacoes S.A. Ridefinizione della vita utile di attività fisse e immateriali a causa dell'estensione di un contratto di locazione con un'altra società, i cui criteri di vita utile non avrebbero dovuto essere modificati, che ha causato una perdita inferiore a quella che si sarebbe verificata, e il patrimonio netto ha avuto una perdita superiore a quella che si sarebbe verificata.
Società Tecnosolo Engenharia S.A. Incomprensione dell'importo finale delle imposte e dei contributi dovuti all'Agenzia delle Entrate. Mancata applicazione del test di recuperabilità sui valori dei beni conferiti in una   sottoscrizione di capitale a una società controllata   .
La società sta negoziando prestiti e finanziamenti bancari, che saranno riconosciuti una volta concluse le trattative.

Fonte: Dati della ricerca.

Come per i risultati presentati nelle tabelle precedenti (6 e 8), la tabella 10 evidenzia problemi di rilevazione e riclassificazione dei conti contabili, come il caso presentato da Bradesco Leasing S.A. e Bv Leasing - Arrendamento Mercantil S.A., che hanno ricevuto una riserva nella relazione di revisione 2015, evidenziando la non conformità con il CPC 06 (2010), che riguarda le operazioni di leasing, in quanto la società non ha presentato i propri bilanci in conformità con i principi contabili internazionali adottati in Brasile, osservando solo gli standard stabiliti dal BACEN. Il problema è stato riscontrato in Bradesco Leasing S.A. nel 2013 e nel 2014.

La società Andrade Gutierrez Concessões S.A. ha riscontrato un problema relativo alla sua partecipata Norte Energia S.A., in quanto è oggetto di indagini per possibile non conformità alle leggi e ai regolamenti, lasciando dubbi sui risultati presentati nel bilancio del suo investitore Andrade Gutierrez Concessões S.A.

Presso Bombril S.A., lo stesso problema è stato riscontrato nei pareri analizzati nel 2013 e nel 2014, poiché i documenti della società sono ancora in possesso delle autorità italiane, costringendo gli amministratori a ricostituire i bilanci dal 2002 al 2005, sollevando così dubbi sui saldi di apertura dei prossimi bilanci.

Brb Bco De Brasilia S.A. ha un piano pensionistico integrativo per i suoi dipendenti e, in conformità al CPC 26, che tratta la contabilizzazione dei benefici per i dipendenti, la contabilizzazione di questo beneficio alla fine dell'anno avrebbe dovuto essere adeguata al valore attuale, procedura non adottata dalla società. Di conseguenza, le passività sono sottovalutate e il patrimonio netto è sovrastimato, in violazione del principio contabile della prudenza. È stato

ha individuato il mancato rispetto di questo stesso principio nella società Cia Est. De Distrib.

Ener. Elet-Ceee S.A. nel 2013 e nel 2014.

La tabella 10 riporta anche il caso delle indagini condotte dall'Operazione Autolavaggio, che sta indagando sulla società Centrais Elet Brás S.A. - Eletrobrás sull'esistenza di presunti atti illegali, legati al pagamento di tangenti e alla possibile non conformità a leggi e regolamenti, nel contesto della legislazione in Brasile e negli Stati Uniti d'America, che potrebbero interferire con la realtà economica, patrimoniale e finanziaria di questa società, dal momento che queste azioni sono ancora in corso senza alcuna conclusione.

La società Cia Saneamento de Minas Gerais - Copasa MG ha osservato un mancato riconoscimento della rinuncia ai diritti presentati in bilancio come passività non correnti per obbligazioni, altri prestiti e finanziamenti che richiedono il rispetto di indici finanziari periodici, consentendo al creditore di decretarne la scadenza anticipata in caso di mancato rispetto. Nel 2015, alcuni di questi indici non sono stati rispettati, il che ha portato a una rinuncia da parte dei creditori, e la società avrebbe dovuto riconoscere questa scadenza anticipata in modo prospettico nel bilancio a causa della rinuncia dei creditori, riclassificando l'importo nelle passività correnti, in conformità alle pratiche contabili adottate in Brasile e agli IFRS.

Per quanto riguarda Energisa S.A. e Rede Energia S.A., non è stato possibile certificare i saldi, la documentazione e i valori dei crediti vantati nei confronti del Governo dello Stato di Tocantins, a causa della mancanza di analisi e documentazione che comprovino la valutazione e, soprattutto, le condizioni di realizzazione di tali beni.

La società Hercules S.A. Fábrica De Cutlery ha subito una modifica del giudizio a causa delle rettifiche apportate ai conti delle imposte e degli obblighi sociali per le imposte da pagare per il 2013 e il 2014, a causa della mancanza di un'analisi e di una rettifica adeguate degli importi comunicati nel bilancio alla fine del 2014, che ha avuto un impatto sul giudizio di revisione per il 2015, in quanto l'importo comunicato nel rendiconto potrebbe essere errato rispetto al possibile importo corrispondente, con un impatto economico e finanziario sulla società.

Per quanto riguarda Hopi Hari S.A., sembra che non sarà in grado di continuare le sue attività operative, dal momento che le sue passività correnti sono notevolmente superiori alle sue attività correnti e il suo patrimonio netto ha un saldo negativo, sollevando dubbi sostanziali sul fatto che soddisfi il presupposto della continuità operativa, in conformità con NBC TA 570 (2010), le cui ultime notizie di stampa indicano già che smetterà di operare nel 2017.

A sua volta, la società Igb Eletrônica S.A. ha ricevuto un parere di revisione con riserva dopo aver rilevato la non conformità con il CPC 01 (R1), che riguarda la riduzione del valore recuperabile delle attività, che dovrebbero essere iscritte a importi che non superano il loro valore recuperabile. Le attività della società avrebbero dovuto essere sottoposte a test di recuperabilità, in quanto sono stati individuati usura e svalutazione dovuti a fattori esterni, che non sono stati contabilizzati dalla società, lasciando dubbi sul valore equivalente di ciascuna attività.

Per quanto riguarda Fibam Companhia Industrial S.A., i revisori non hanno ricevuto risposta alle lettere di circolarizzazione relative alle transazioni e ai saldi delle istituzioni finanziarie e dei loro fornitori. Inoltre, la società non sta pagando regolarmente le imposte e i contributi federali e statali, nonché quelli derivanti dalle rate già approvate. La misura dell'importo in attesa di pagamento è oggetto di indagine da parte dei consulenti fiscali della società, che alla data di pubblicazione del bilancio non hanno ancora concluso la loro valutazione.

Per quanto riguarda Industrias J B Duarte S.A., è mancato il riscontro alle lettere di circolarizzazione, che in questo caso sono state inviate ai suoi avvocati, con informazioni su cause civili e fiscali in cui la società è imputata. Inoltre, la società è risultata inadempiente rispetto al programma REFIS e ne è stata esclusa, ai sensi della Legge 11941/09. Di conseguenza, non è stato possibile misurare l'importo in attesa di pagamento e non sono state registrate eventuali passività che potrebbero modificare il bilancio dell'esercizio.

Per quanto riguarda la relazione di revisione presentata da Mgi - Minas Gerais Participações S.A., è stata rilevata l'assenza di controlli interni in relazione ai saldi degli accordi terminati, che avrebbero dovuto essere contabilizzati o almeno minimamente divulgati dalle segreterie della società. Inoltre, la società non ha completato l'analisi dei possibili impatti fiscali e societari derivanti dalla rettifica di errori degli anni passati, riguardanti i conti economici e patrimoniali. Di conseguenza, si può affermare che la società ha violato il CPC 23 (2009), che si occupa di politiche contabili, cambiamenti di stime e rettifica di errori.

Mundial S.A. - Produtos De Consumo ha subito una nuova modifica del proprio giudizio, a causa dell'inconcludenza del calcolo dei saldi dei conti degli obblighi fiscali e sociali per le imposte da pagare, derivanti dall'esercizio 2013. Ciò impedisce al revisore di verificare il reale impatto sul bilancio delle rettifiche apportate dalla società.

Il patrimonio netto di Pomifrutas S.A. è stato sottostimato a causa della rinegoziazione dei debiti attraverso il Programma Speciale di Ristrutturazione degli Attivi (PESA), che prevede che i debitori forniscano un Certificato del Tesoro Nazionale (CTN). L'importo rinegoziato deve essere in linea con l'importo contratto attraverso il programma, cosa che non è avvenuta, in quanto parte del debito non è stata riconosciuta nel passivo della società.

La società Refinaria De Petróleos Manguinhos S.A. ha avuto lo stesso problema del 2013 e del 2014, a causa del decreto 43.892 del 15 ottobre 2012, che prevede l'esproprio di terreni federali da parte del governo dello Stato di Rio de Janeiro, che ha ridotto drasticamente le azioni della società, impattando sulla generazione di cassa e sull'adempimento degli obblighi fiscali e lavorativi, rendendo impossibile dimostrare la sua continuità operativa.

Santos Brasil Participações S.A. ha fatto modificare il contratto di leasing della sua controllata operativa Tecon Santos e, dopo la firma di questo contratto, ha già rivalutato la vita utile dei suoi immobili, impianti e macchinari e delle attività immateriali. Tuttavia, in conformità con il CPC 06 (2010), che si occupa delle operazioni di leasing e stabilisce che la vita utile deve essere definita all'inizio del contratto e può essere modificata solo se nuove condizioni indicano la necessità di una modifica, la società ha potuto modificare la vita utile dei suoi immobili, impianti e macchinari e delle attività immateriali solo attraverso un investimento condizionale nella modifica del contratto.

In Tecnosolo Engenharia S.A., l'importo finale delle imposte e dei contributi dovuti all'Agenzia Federale delle Entrate è risultato inconcludente; inoltre, non è stato applicato il test di recuperabilità agli importi dei beni conferiti in sottoscrizione di capitale a una società controllata al fine di incrementare l'attività e rispettare il piano di riorganizzazione giudiziaria a cui la società sta rispondendo. Sono state inoltre individuate trattative relative a prestiti e finanziamenti con istituti finanziari, che non sono ancora state chiuse e non hanno l'importo da iscrivere in bilancio.

Di conseguenza, la tabella 11 descrive i fattori rilevanti che sono stati presentati dal revisore nell'analisi dei bilanci delle società in questione e che hanno portato all'emissione di un giudizio con riserva nella relazione di revisione.

Tabella 11 - Fattori presentati nelle relazioni di revisione modificate - Rifiuto del giudizio (2015)

Motivi dell'astensione
Società CCX Carvão da Colômbia S.A.: la società ha difficoltà finanziarie, con passività correnti superiori alle attività correnti e perdite cumulate individuali e consolidate.
Società Cia Industrial Schlosser S.A.: non ha presentato i test di recuperabilità delle sue attività. Mancata presentazione degli estratti conto previdenziali e fiscali, relazione sui crediti. Le lettere di circolarizzazione inviate ai consulenti legali e alle istituzioni finanziarie non sono state restituite integralmente.
Azienda Cobrasma S.A.: azienda con molti debiti, che rendono impossibile dimostrare la continuità operativa. Mancanza di conferme esterne attraverso lettere di circolarizzazione con i fornitori, prestiti e finanziamenti.
Ideiasnet S.A.: la controllata indiretta della società è in fase di riorganizzazione giudiziaria, il cui successo dipende da fattori esterni (creditori e mercato). Inoltre, altre filiali della società hanno registrato una perdita nel 2015. Debolezza in relazione alla continuità operativa.
Società MMX Mineracao e Metalicos S.A.: mancanza di misurazione dei possibili effetti del piano di riorganizzazione giudiziaria sul bilancio individuale e consolidato. Perdite accumulate a fine anno, incertezze sulla continuità operativa della società.
OSX Brasil S.A.: la società e le sue controllate dipendono dal successo dell'attuazione del piano di riorganizzazione per garantire la loro continuità operativa e la generazione di liquidità per saldare i debiti. La società ha accumulato perdite alla fine dell'anno.
Società Teka-tecelagem Kuehnrich S.A.: la società e le sue controllate sono indebitate e hanno un piano di recupero giudiziario per onorare i loro impegni. I saldi dei crediti fiscali, dei fornitori e dei contratti con le istituzioni finanziarie sono imprecisi.
Società Viver Incorporadora e Construtora S.A.: incertezza sulla continuità operativa della società, poiché ha accumulato perdite individuali e consolidate e non può stimare il modo in cui le attività saranno realizzate e le passività pagate.
Società Wetzel S.A.: ha chiuso l'esercizio con una perdita, debiti in eccesso e passività correnti superiori alle attività correnti. L'azienda ha un piano di riorganizzazione giudiziaria, dal cui esito dipende la sua continuità.

La Tabella 11 mostra le società quotate al BM&FBovespa che nel 2015 hanno ottenuto una relazione di revisione con astensione dal giudizio. Secondo la relazione presentata sulla società CCX Carvão da Colômbia S.A., i revisori non hanno emesso un giudizio sul bilancio della società perché questa si trova in difficoltà finanziarie, con passività correnti superiori alle attività correnti e perdite accumulate individuali e consolidate. La società sta negoziando i suoi beni, avendo firmato un contratto e dopo qualche tempo la società acquirente ha chiesto l'annullamento, sostenendo che le norme stabilite nelle clausole del contratto firmato non venivano prese in considerazione. CCX Carvão è in attesa della decisione della Camera arbitrale sull'esito del caso, che consentirà all'azienda di migliorare la propria situazione finanziaria e di garantire la continuità operativa.

In relazione alla società Cia Industrial Schlosser S.A., mancavano i test di recuperabilità dei valori delle attività, come previsto dal NBC TG 01 (2015), che tratta del valore recuperabile delle attività. Mancavano anche le dichiarazioni relative agli importi della previdenza sociale e delle imposte, le relazioni finanziarie sui crediti, i fornitori e le lettere di circolarizzazione non sono state restituite nella loro interezza, rendendo impossibile la conferma dei saldi presentati nel bilancio della società. Esistono dubbi sulla capacità dell'azienda di continuare a operare come un'impresa in attività, dato che sta registrando continue perdite e ha cessato l'attività in passato.

La società Cobrasma S.A. è inattiva e non è in grado di generare entrate per saldare i suoi debiti, che sono oggetto di contenzioso in tribunale. La società non ha una scadenza per la ripresa delle attività in futuro, il che rende impossibile dimostrare la sua continuità operativa, come previsto dalla NBC TA 570 (2009), che riguarda la continuità operativa delle imprese.

La controllata indiretta Ideiasnet S.A., che rappresenta una parte sostanziale delle operazioni consolidate della società, è in fase di riorganizzazione giudiziaria, il cui successo dipende da fattori esterni (creditori e mercato). Inoltre, altre filiali della società hanno registrato una perdita nel 2015 e, per invertire questa situazione, devono rendere le loro attività redditizie e generare liquidità attraverso il capitale degli investitori o i prestiti bancari. Di conseguenza, Ideiasnet S.A. mostra debolezze nella sua continuità operativa e dubbi sull'adempimento dei suoi obblighi.

Per quanto riguarda la società MMX Mineração e Metálicos S.A., essa registra continue perdite, le passività correnti superano le attività correnti e, per ribaltare la situazione, ha presentato un piano di risanamento giudiziario che dipende da eventi futuri per la sua realizzazione e stabilizzazione (come la vendita di attività), presentando così dubbi sulla normale continuità delle sue operazioni a causa di queste incertezze. La società presenta inoltre carenze nei controlli interni relativi alla redazione del bilancio, che possono portare a errori significativi, soprattutto in relazione alle riconciliazioni degli accantonamenti per le obbligazioni derivanti dal piano di risanamento giudiziario, alla valutazione delle attività non correnti disponibili per la vendita, all'analisi delle scorte, incidendo sull'affidabilità delle informazioni fornite agli utenti. Nel corso del 2015, la società e le sue controllate hanno registrato rettifiche derivanti dalla rettifica di errori che incidevano negativamente sull'utile, errori relativi a esercizi precedenti non correlati a eventi successivi, per cui la società avrebbe dovuto effettuare la rettifica nell'esercizio stesso in conformità al CPC 23 - Principi contabili, cambiamenti di stime e rettifica di errori e allo IAS 8.

Come Ideiasnet S.A. e MMX Mineração e Metálicos S.A., anche OSX Brasil S.A. è sottoposta a un processo di riorganizzazione giudiziaria, il che indica un'incertezza sulla capacità della società di continuare a operare come un'azienda in attività, dal momento che la società dipende dal successo dell'attuazione del piano e dall'eventuale generazione di liquidità per saldare le proprie passività e continuare a operare normalmente.

Per quanto riguarda Teka-tecelagem Kuehnrich S.A., il livello di indebitamento indica l'esistenza di un'incertezza sulla continuità aziendale della società e delle sue controllate. La società ha un piano di recupero giudiziario e dipende da esso per realizzare alcune attività iscritte nel suo bilancio, onorando così i suoi impegni. La società ha anche importi registrati nei saldi delle imposte sul reddito e dei contributi sociali che sono in attesa di valutazione da parte dell'Agenzia Federale delle Entrate in una causa per verificare gli importi da riconoscere come crediti fiscali, nel qual caso la società avrebbe dovuto attendere che l'Agenzia Federale delle Entrate li valutasse prima di registrare i saldi e presentare i test di recuperabilità. Il saldo esistente nei crediti d'imposta, nei conti dei fornitori e nei contratti con le istituzioni finanziarie è errato, poiché, a causa dell'inadempienza della società, gli importi corretti avrebbero dovuto essere registrati come previsto in ciascun contratto.

L'analisi dell'opinione della società Viver Incorporadora e Construtora S.A. ha mostrato che ha accumulato perdite e ha chiuso l'esercizio 2015 con perdite, sia individuali che consolidate. Le passività correnti superano le attività correnti e il patrimonio netto è negativo. Questa situazione indica l'esistenza di un'incertezza significativa che solleva dubbi sulla capacità della società e delle sue controllate di continuare a operare come un'entità in funzionamento.

Infine, anche Wetzel S.A. ha chiuso l'esercizio in perdita, con debiti scoperti e passività correnti superiori alle attività correnti. La società ha un piano di risanamento giudiziario e dipende dagli eventi futuri per considerare gli effetti che possono verificarsi sul bilancio, che possono influenzare significativamente gli importi e le modalità di realizzazione delle attività e di estinzione delle passività, indicando l'incertezza sulla continuità operativa della società.

Dopo aver analizzato i giudizi di revisione modificati contenuti nei bilanci delle società quotate su BM&FBovespa per gli anni 2013, 2014 e 2015, è emerso che nel 2013 i principali motivi di riserva erano legati ai saldi dei conti fiscali, del lavoro e della previdenza sociale, presenti nel 28,57% delle riserve e ai problemi legati alla circolarizzazione con terzi, problema riscontrato nel 19,05% delle riserve, nonché ai problemi legati ai test di recuperabilità, alla riclassificazione delle attività, alle passività iscritte in misura inferiore e alle attività o al patrimonio netto iscritti in misura superiore e all'incertezza sulla continuità operativa. I principali motivi di astensione dal parere nel 2013 sono stati l'incertezza sulla continuità operativa della società, che è stata la più comune, comparendo nel 50% dei pareri di astensione dal parere, seguita da problemi legati alla mancanza di un test di recuperabilità e alla mancanza di circolarizzazione con terzi, entrambi comparsi nel 16,67% di queste relazioni. Sono stati riscontrati anche problemi quali l'attesa di una risposta alla richiesta di recupero

71

giudiziario, l'assenza del revisore indipendente nell'indagine sull'inventario e la mancanza di ammortamento dei beni.

Nel 2014, il 21,43% dei motivi per cui è stato emesso un parere con rilievi è stato l'inconcludenza dei saldi contabili presentati in bilancio. Seguono la mancanza di un test di recuperabilità, i problemi di riclassificazione delle attività, la circolarizzazione con terzi e i problemi fiscali, lavorativi o previdenziali, tutti riscontrati nel 14,29% dei pareri analizzati, seguiti dai problemi di accantonamento delle passività e dalla registrazione di passività sottovalutate e patrimonio netto sovrastimato, entrambi con il 7,15% dei pareri con riserva. A questi si aggiungono problemi come l'incapacità di saldare le obbligazioni e la presentazione di perdite continue, che lasciano dubbi sulla continuità operativa della società. Per quanto riguarda i pareri di astensione, si può notare che il motivo principale per il rilascio di questo tipo di parere è l'incertezza sulla continuità operativa per il 42,86% delle società; inoltre, sono stati individuati l'assenza di un test di recuperabilità degli asset e l'assenza di circolarizzazione con terzi, entrambi con un'incidenza del 14,29% in questo tipo di parere. Sono stati riscontrati anche problemi legati a dubbi sul realizzo delle attività e sull'estinzione delle passività, all'attesa di una risposta a una richiesta di recupero giudiziario, a problemi nella contabilizzazione delle scorte e all'attività svolta con una controllata.

Per quanto riguarda le relazioni modificate per il 2015, i principali motivi che hanno portato all'emissione di un giudizio con riserva sono stati i problemi relativi ai saldi fiscali, con il 40% delle motivazioni, i problemi di circolarizzazione con terzi, con il 15% delle motivazioni, e i problemi di mancata conformità a leggi e regolamenti, come l'indagine sul coinvolgimento nell'operazione Lava-Jato, la mancata riclassificazione di attività e l'iscrizione di minori passività e maggiori patrimoni netti, entrambi con il 10% delle motivazioni. Inoltre, sono state individuate l'inconcludenza dei saldi contabili comunicati, l'incertezza sulla continuità operativa delle società e la mancanza di test di recuperabilità. Per quanto riguarda l'astensione dalle relazioni di opinione dello stesso periodo, si può notare che i motivi principali per l'emissione di questo tipo di relazione sono stati l'incertezza sulla continuità operativa della società, un problema che è stato riscontrato nell'88,89% delle relazioni di astensione dalle relazioni di opinione, e la mancanza di un test di recuperabilità, che è stato riscontrato nell'11,11% delle relazioni analizzate. Inoltre, sono stati riscontrati problemi legati alla circolarizzazione con terzi e alla dipendenza dalla risposta alla richiesta di recupero giudiziario per l'analisi del bilancio.

Sulla base dell'analisi effettuata, si può affermare che per il periodo analizzato, ovvero 2013, 2014 e 2015, i motivi principali per l'emissione di un giudizio con rilievi sono stati problemi relativi ai saldi dei conti fiscali, del lavoro e della previdenza sociale, mancanza o problemi di circolarizzazione con terzi, inconcludenza dei saldi contabili iscritti in bilancio, assenza di un test di recuperabilità, problemi o mancanza di riclassificazione delle attività, assenza o problemi di accantonamenti per le passività, sottovalutazione delle passività e sovrastima delle attività o del patrimonio netto e non conformità a leggi e regolamenti. D'altro canto, i motivi principali per cui è stato emesso un giudizio negativo per lo stesso periodo sono stati l'incertezza sulla continuità operativa della società, la mancanza di un test di recuperabilità delle attività e la mancanza di circolarizzazione con terzi.

Sulla base dei risultati ottenuti, questo studio può essere confrontato con gli studi di Cunha, Beuren Pereira (2009), che, dopo aver analizzato i pareri di revisione delle società catarinensi registrate presso il CVM, hanno rilevato che il 75,76% dei pareri è stato emesso senza avvertenze e il 24,24% con avvertenze. Di questi pareri, il 50% è stato qualificato a causa di questioni fiscali, il 37,50% a causa di questioni economiche e il 12,50% a causa di questioni lavorative.

Anche lo studio di Santos et al. (2009), che ha analizzato la revisione contabile indipendente attraverso i pareri emessi sui bilanci delle società quotate al Bovespa e al NYSE, si confronta con questo studio, dove è emerso che quasi il cento per cento dei casi ha emesso pareri senza riserve, sia nei bilanci brasiliani che in quelli americani. Per quanto riguarda il contenuto dei pareri, è stato evidenziato che i bilanci americani, rispetto a quelli brasiliani, enfatizzano l'efficacia dei controlli interni.

Damascena, Firmino e Paulo (2011) hanno analizzato i giudizi di revisione contabile contenuti nei bilanci delle società quotate al Bovespa, rilevando che i motivi principali per l'emissione di un giudizio con rilievi sono la scarsità di dati e l'impossibilità di formulare un giudizio, a causa dell'esistenza di perdite continue, di debiti scoperti e di capitale circolante insufficiente. Questo studio si riallaccia allo stesso ambito della presente ricerca, poiché anche le società hanno avuto problemi con questi aspetti nel periodo analizzato.

Questi studi contribuiscono a delineare gli studi futuri su questo argomento, poiché pochi ricercatori hanno analizzato le ragioni per cui viene emesso un giudizio di revisione modificato sui bilanci brasiliani. Pertanto, questa ricerca può aiutare i ricercatori che intendono concentrarsi su questo argomento, perché con la complessità del mondo aziendale, sapere dove si trovano le debolezze di una società può essere un fattore determinante quando si tratta di prendere decisioni da parte di un utente esterno del bilancio.

CAPITOLO 5

CONSIDERAZIONI FINALI

Data l'importanza della revisione contabile indipendente nei mercati dei capitali, in quanto offre sicurezza, credibilità, affidabilità e un aumento della qualità delle informazioni fornite ai vari utilizzatori delle informazioni contabili e finanziarie divulgate dalle società, la relazione di revisione segnala se le società hanno rispettato il quadro normativo sull'informativa finanziaria applicabile, in altre parole, se il bilancio nel suo complesso è stato redatto in conformità agli standard, ai principi e alla legislazione pertinenti, in modo che rifletta la reale situazione economica, patrimoniale e finanziaria dell'organizzazione, contribuendo al processo decisionale di manager, fornitori, autorità fiscali, azionisti, clienti, tra gli altri.

Pertanto, l'obiettivo generale di questo studio è stato quello di analizzare i fattori più frequenti che hanno portato all'emissione di relazioni di revisione modificate in relazione ai bilanci presentati dalle società quotate alla BM&FBovespa. A tal fine, è stato condotto uno studio documentale, qualitativo e descrittivo.

Pertanto, in risposta all'obiettivo specifico a) di identificare le relazioni con giudizi modificati nelle società quotate alla BM&FBovespa, si è concluso che nel 2013 30 società hanno avuto modifiche al loro giudizio di revisione, nel 2014 sono state identificate modifiche nel giudizio di 27 società e nel 2015 sono state 36 le società con modifiche. Raccogliendo queste informazioni e rendendole disponibili, gli utenti saranno in grado di agire in modo proattivo per soddisfare le esigenze esistenti delle società, oltre a verificare la presenza di errori e a correggerli, in modo da poter essere assertivi in tutti gli aspetti del bilancio.

Per quanto riguarda l'obiettivo specifico b) di classificare le relazioni modificate in pareri qualificati, avversi e astenuti, si è concluso che delle relazioni analizzate nel 2013, ventiquattro società avevano relazioni qualificate, nessuna aveva pareri avversi e sei avevano pareri astenuti. Nel 2014, diciannove società sono state identificate come aventi una relazione con riserve, nessuna società aveva un parere negativo e otto società avevano una relazione senza parere. Infine, nel 2015, sono state identificate ventisette società con una relazione con riserve, nessuna con un parere negativo e nove con un parere di astensione.

Concentrandosi sull'obiettivo c) di accertare i fattori citati come base per il giudizio del revisore indipendente per l'emissione di una relazione modificata, si è concluso che i principali fattori che hanno motivato l'emissione di relazioni di revisione modificate in relazione ai bilanci presentati dalle società quotate su BM&FBovespa, sono stati i problemi relativi all'applicazione dei test di recuperabilità delle attività, le incongruenze nei saldi e negli importi degli obblighi fiscali e lavorativi (sociali), la mancanza di conferme esterne e/o l'incongruenza nei saldi presentati dalle conferme esterne che coinvolgono i dati finanziari con le istituzioni finanziarie e i fornitori, il problema della sottovalutazione delle passività, i problemi di rilevazione e riclassificazione dei conti contabili, l'esistenza di presunti atti illegali, l'indagine che coinvolge l'operazione Lava-Jato, le carenze nel controllo interno e i casi in cui le attività della società sono già state paralizzate.

Per quanto riguarda le relazioni di revisione con un giudizio negativo, i fattori più frequenti a sostegno della loro emissione sono stati principalmente l'esistenza di processi di riorganizzazione giudiziaria, con conseguenti perdite accumulate, la sottostima delle passività, gli scoperti, l'indebitamento, la mancanza di flussi di cassa e di capitale circolante, il volume degli obblighi fiscali, sociali e dei fornitori, la mancanza di conferma esterna dei saldi, dei valori e dell'effettiva documentazione dei dati registrati in bilancio, tutti fattori che hanno un impatto diretto sulla continuità operativa dell'azienda.

Alla luce di questi risultati, si può notare che la principale differenza che induce il revisore a emettere una relazione di revisione modificata con astensione dal giudizio invece di emettere una relazione di revisione con riserve è quando l'azienda inizia ad avere problemi di continuità aziendale, sollevando dubbi sulla capacità dell'azienda di realizzare le proprie attività e saldare le proprie passività.

Tenendo conto dell'obiettivo specifico d) di analizzare i fattori più frequenti che hanno portato all'emissione di relazioni di revisione modificate da parte delle società quotate alla BM&FBovespa, si può concludere che nel 2013 i motivi più frequenti per l'emissione di una relazione con riserva sono stati legati ai saldi dei conti fiscali, del lavoro e della previdenza sociale, con una percentuale del 28,57% e il 19,05% sono stati problemi legati alla circolarizzazione con terzi. Per quanto riguarda le relazioni con astensione dal giudizio, il 50% di queste erano problemi legati alla continuità operativa e il 16,67% erano problemi legati all'assenza di un test di recuperabilità e, con la stessa percentuale, all'assenza di circolarizzazione con terzi.

A conferma di ciò, nel 2014 i motivi più frequenti per il rilascio di un giudizio con rilievi sono stati i problemi relativi ai saldi contabili presentati in bilancio, con il 21,43% delle relazioni di questo tipo, seguiti da problemi di circolarizzazione con terzi, riclassificazione di attività, mancanza di test di recuperabilità e problemi fiscali, lavorativi e previdenziali, tutti con il 14,29%. Per quanto riguarda i pareri che si sono astenuti dal parere, è stato riscontrato un gran numero di problemi di continuità operativa, un problema riscontrato nel 42,86% dei pareri di questo tipo, nonché problemi con il test di recuperabilità e la mancanza di circolarizzazione con terzi, che sono stati riscontrati nel 14,29% di queste segnalazioni.

Nel 2015, i motivi più frequenti per l'emissione di un parere con riserva sono stati i problemi relativi ai saldi fiscali, con il 40% delle motivazioni addotte, il 15% i problemi di circolarizzazione con terzi e i problemi di non conformità a leggi e regolamenti, la riclassificazione delle attività e la registrazione delle passività a un livello inferiore e del patrimonio netto a un livello superiore, che hanno rappresentato il 10% di questo tipo di parere. Per quanto riguarda le segnalazioni con astensione dal giudizio, l'88,89% delle segnalazioni segnalava problemi di continuità operativa, come osservato dall'NBC TA 570, e l'11,11% problemi con il test di recuperabilità.

Alla luce di quanto sopra, è emerso chiaramente che la stragrande maggioranza delle società che hanno ricevuto una modifica al bilancio erano recidive nei tre anni analizzati e che le ragioni che hanno portato all'emissione del parere erano ripetute o impattate da ragioni precedenti.

In questo modo, la ricerca amplia i risultati disponibili in letteratura, come evidenziato negli studi di Cunha, Beuren e Pereira (2009) relativi alla divulgazione del numero di relazioni di revisione con riserve, giudizi negativi e astensioni dal giudizio. Da questo punto di vista, la ricerca corrobora lo studio di Damascena, Firmino e Paulo (2011), che ha evidenziato come le perdite continue, le passività non coperte, la carenza di capitale circolante e i crediti d'imposta siano tra i principali fattori di emissione di relazioni di revisione modificate.

Tra i limiti dello studio vi è l'esclusione di alcune aziende a causa di un errore nel link per il download dei loro bilanci nel periodo analizzato. Per quanto riguarda i suggerimenti per la ricerca futura, si raccomanda di incorporare analisi di bilancio che coinvolgano, tra gli altri, gli indicatori di debito, il rendimento del capitale proprio e il rendimento delle attività, nonché di applicare altre procedure metodologiche e statistiche allo studio dei fattori che motivano l'emissione di relazioni modificate da parte dei revisori e delle società di revisione. Inoltre, si raccomanda di confrontare i pareri utilizzati con i nuovi modelli per la formazione della base del giudizio del revisore in conformità all'ultimo aggiornamento dell'NBC TA 700, che tratta della formazione del giudizio e dell'emissione della relazione del revisore indipendente sul bilancio, e dell'NBC TA 570, che tratta della continuità operativa, analizzando l'impatto di questi cambiamenti sulla formazione dei pareri nella revisione contabile indipendente.

RIFERIMENTI

ALBERTON, Luiz. **Un contributo alla formazione dei revisori contabili indipendenti da una prospettiva comportamentale.** Tesi (PhD) - Università Federale di Sant Catarina, Centro Tecnologico, Programma post-laurea in Ingegneria della Produzione. - Florianópolis, 2002. Disponibile all'indirizzo: https://repositorio.ufsc.br/handle/12 345678 9/84483?show=full, consultato il 11/09/2016 alle 19:57.

ALMEIDA, Leonardo Soares Francisco de; TRAVASSOS, Marcelo da Silva; PIRAN, Rafael da Silva; SILVA, André Cantareli da; BELGHZI, Daniela Ker; **L'importanza della gestione dei flussi di cassa nelle aziende.** Revista de Trabalhos Acadêmicos. n°, 11. ISSN 2179-1589, Niterói-RJ, 2015

ALMEIDA, Marcelo Cavalcanti. La **revisione contabile:** un corso moderno e completo. San Paolo: Atlas, 1996

ANDRADE; Maria Margarida de. **Come preparare gli elaborati per i corsi post-laurea:** nozioni pratiche. 5. ed. San Paolo: Atlas 2002.

ARAÚJO, Inaldo da Paixão Santos; ARRUDA, Daniel Gomes; BARRETO, Pedro Humberto Teixeira. La **revisione contabile: un** approccio teorico, normativo e pratico. São Paulo: Saraiva 2008.

ATTIE, William. La **revisione contabile interna**. San Paolo: Atlas, 1987.

. **Auditing interno**. San Paolo: Atlas, 1992.

. **Auditing**: concetti e applicazioni. 3. ed. San Paolo: Atlas, 1998.

. **Auditing**: concetti e applicazioni. 4. ed. São Paulo: Atlas 2009.

. **Auditing**: concetti e applicazioni. 5. ed. San Paolo: Atlas, 2010.

. **Auditing**: concetti e applicazioni. 6. ed. San Paolo: Atlas, 2011.

BARDIN, Laurende. **Analisi del contenuto**. Lisbona: Edições 70, 1997.

BEUREN; Ilse Maria. **Come scrivere documenti monografici in contabilità:** teoria e pratica / collaboratori André Andrade Longaray, Fabiano Maury Raupp, Marco Aurélio Batista de Sousa, Romualdo Douglas Colauto, Rosimere Alves de Bona Porton. - 3. ed. - 4. ristampa - San Paolo: Atlas, 2009.

BOLSA DE VALORES E MERCADOS FUTUROS DE SÃO PAULO; **Informazioni su BM&FBovespa.** Disponibile su :
<http://www.bmfbovespa.com.br/pt_br/institucional/sobre-a-bm-fbovespa/quem-somos/>. Accesso: 28 ottobre 2016.

BORDIN, Patrícia, SARAIVA, Cristiane Jardim. **Il controllo interno come strumento fondamentale per l'affidabilità delle informazioni contabili. Rivista elettronica di contabilità.** UFSM. 1° Simposio di iniziazione scientifica dei corsi di scienze contabili a Santa Maria. Luglio 2005. Disponibile all'indirizzo: <http://w3.ufsm.br/revistacontabeis/ anterior/artigos/vIInEspecial/a12vIInesp.pdf>. Accesso: 15 settembre. 2016.

CAMARGO, Raphael Vinicius Weigert. **Determinanti delle opinioni dei revisori indipendenti rilasciate alle società quotate su BMF&BOVESPA.** Università Federale di Santa Catarina, Programma post-laurea in contabilità, 2012.

CAMELO, Érika Patricia de Sousa M.; BERNABÉ Katia Regina; SILVA, Sebastião Fagundes da; RIBEIRO, Roberto Rivelino M. **Análise das demonstrações contabiliais em empresas** da **área comercial** de **embalagens**. FCV Empresarial, v.1, p. 167-193, 2007.

CONSIGLIO FEDERALE DI CONTABILITÀ. **CPC 00 - Conceptual Framework** for the Preparation and Disclosure of Accounting and Financial Reports. Comitato per le pronunce contabili, 2011.

. CPC 01 - Riduzione di valore delle attività. Comitato per le Pronunce Contabili, 2010.

. CPC 06 - Operazioni di leasing. Comitato per le Pronunce contabili, 2010.

. CPC 12 - Aggiustamento del valore attuale. Comitato per le Pronunce contabili, 2008.

. CPC 18 - Investimenti in società collegate, controllate e joint venture. Comitato per le disposizioni contabili, 2012.

. CPC 23 - Politiche contabili, cambiamenti di stime ed errori. Comitato per le Pronunce Contabili, 2009.

. CPC 25 - Accantonamenti, passività e attività potenziali. Comitato per le Pronunce Contabili, 2009.

. CPC 26 - Presentazione del bilancio. Comitato per le Pronunce Contabili, 2011.

. CPC 27 - Immobilizzazioni. Comitato per le Pronunce contabili, 2009.

. CPC 32 - Imposte sul reddito. Comitato per le Pronunce Contabili, 2009.

. Brevi considerazioni sull'audit interno ed esterno. Maggio 2013. Disponibile all'indirizzo: http://www.portalcfc.org.br/noticia. php?new=8435 consultato il: 1 ottobre 2016.

. NBC TG 01 - Riduzione di valore delle attività, 2015.

. NBC TA 706 - Paragrafi di enfasi e altre questioni nella relazione del revisore indipendente, 2009.

. NBC TA 705 - Modifiche al parere del revisore indipendente, 2009.

. NBC TA 700 - Formare un giudizio ed emettere una relazione di un revisore indipendente sul bilancio, 2009.

. NBC TA 570 - Continuità operativa, 2010.

. NBC TA 315 - Identificare e valutare i rischi di inesattezze rilevanti attraverso la comprensione dell'entità e del suo ambiente, 2009.

. NBC TA 300 - Pianificazione della revisione contabile dei bilanci, 2009.

. NBC TA 200 - Obiettivi generali del revisore indipendente e svolgimento della revisione contabile in conformità ai principi di revisione, 2009.

. NBC T 11 - Principi per la revisione contabile del bilancio con modifiche e altre misure, 2007.

CREPALDI, Silvio Aparecido. Revisione contabile: teoria e pratica. 9. ed. - San Paolo: Atlas, 2013.

CREPALDI, Silvio Aparecido; CREPALDI, Guilherme Simões. Revisione contabile: teoria e pratica. 10. ed. - San Paolo: Atlas, 2016.

CUNHA, Paulo Roberta da; BEUREN, Ilse Maria; PEREIRA, Elisangela. Analisi dei giudizi di revisione sui bilanci delle società catarinensi registrate presso la Securities and Exchange Commission. RIC - Revista de Informação Contábil, v.3, n.4, p. 44-65, 2009.

DAMASCENA, Luzivakda Guedes; PAULO, Edilson. Pareri di revisione: uno studio dei caveat e dei paragrafi di enfasi nei bilanci delle società quotate brasiliane. Revista Universo Contábil, Blumenau, v.9, n.3, p.104-127, 2013.

DAMASCENA, Luzivalda Guedes; FIRMINO, José Emerson; PAULO Edilson. Studio dei pareri di revisione: analisi dei paragrafi di enfasi e di esclusione nei bilanci delle società quotate alla Bovespa. Revista Contabilidade Vista & Revista, Universidade Federal de Minas Gerais, Belo Horizonte, v. 22, n. 2, p. 125-154, 2011. Disponibile   all'indirizzo: http://revistas.face.ufmg.br/index.php/contabilidadevistaerevista/article   /view/939. Accesso: 14 settembre 2016.

DE LUCA, Márcia Martins Mendes. Dichiarazione del valore aggiunto: dal calcolo della ricchezza creata dall'azienda al valore del PIL. San Paolo: Atlas, 1998.

DEFOND, Mark L.; RAGHUNANDAN, Kannan; SUBRAMANYAM, K. R. I compensi per servizi diversi dalla revisione compromettono l'indipendenza del revisore? I pareri di revisione sulla continuità aziendale. Journal of Accounting Research, pagg. 1247-1274, 2002.

DIDIO, Lucie. Come produrre monografie, dissertazioni, tesi, libri e altre opere. San Paolo: Atlas, 2014.

DUTRA, Marcelo Haendchen. Modello di riferimento per la relazione finale di revisione indipendente basata sull'approccio del gap di aspettative. 2011. 227. Tesi (Dottorato in Ingegneria della produzione). Programma post-laurea in Ingegneria della produzione. Universidade Federal de Santa Catarina, Florianópolis, 2011. strutture, applicazione. - São Paulo: Pioneira Thomson Learning, 2005.

FERREIRA, Ricardo José. **Manuale di revisione contabile:** teoria e domande commentate: in conformità con il Provvedimento 449/08. 7 ed. Rio de Janeiro: Ed. Ferreira, 2009.

FERREIRA, Thialla Camila França; SANTOS, Alécio de Oliveira dos; ALVES, Marleide Ferreira. **Il ruolo del contabile nell'audit interno.** Revista Organizações e Sociedade, Iturama-MG, v. 4, n. 2, p. 44-56, 2015.

FRANCO, Hilário; MARRA, Ernesto. **Revisione contabile.** 2. ed. São Paulo: Atlas, 1991.

. **Revisione contabile.** 4ª . ed. San Paolo: Atlas, 2001.

FUSIGER, Paula; SILVA, Leticia Medeiros; CARRARO, Wendy Beatriz Witt Haddad; **Revisione contabile indipendente:** le principali infrazioni che portano a procedimenti sanzionatori amministrativi da parte della commissione titoli. ConTexto, Porto Alegre-RS, v. 15, n. 3, pagg. 76-93, maggio/agosto 2015.

GIL, Antônio Carlos. **Metodi e tecniche della ricerca sociale.** 5. ed. São Paulo: Atlas, 1999.

Metodi e tecniche della ricerca sociale. 6. ed. - San Paolo: Atlas, 2008.

GONÇALVES, Marcos Allan; CONTI, Idelmo Sanderson; Il **flusso di cassa:** strumento strategico e base per supportare il processo decisionale nelle micro e piccole imprese. Revista de Ciências Gerenciais, Vol. 15. No. 21. São Paulo, 2012.

ELIODORO, Paula. **Il cambio di revisore e la relazione di revisione finanziaria.** Lisbona: 2014. Disponibile all'indirizzo: https://repositorioaberto.uab.pt/handle/10400.2/3439 consultato il: 14 settembre 2016.

HOJI, Massakazu. **Gestione finanziaria.** 5a ed. San Paolo: Atlas, 2004.

HORNGREN, Charles T. **Introduzione alla contabilità gestionale.** Rio de Janeiro: Prentice-Hall do Brasil, 1985.

ISTITUTO BRASILIANO DI GOVERNO AZIENDALE; **Governo aziendale.** Disponibile a: <http://www.ibgc.org.br/index.php/governanca/governanca-corporativa>. Accesso: 28 ottobre 2016.

IUDÍCIBUS, Sérgio de; MARION, José Carlos. **Contabilità commerciale.** 6ª ed. São Paulo: Atlas, 2004.

JUNIOR, José Hernandes Perez; FERNANDES, Antonio Miguel; RANHA, Antonio; CARVALHO; José Carlos Oliveira de. **Revisione dei bilanci.** 2. ed. - Rio de Janeiro:

Editora FGV, 2011.

LAHM, Andrelise Paim; LAHM, Andreza Paim; TOSCAN, Natalia; FACCIN, Kadígia. **Rapporto di gestione**. ANAIS Seminário de Iniciação Científica de Ciências Contábeis, Capa, v. 4, n.1, 2013.

LAKATOS; Eva Maria; MARCONI; Marina de Andrade. **Metodologia del lavoro scientifico**. 5. ed. - San Paolo: Atlas, 2013.

LEITE, Hélio de Paula; SANVICENTE, Antonio Zoratto. **Valore azionario: usi, abusi e contenuto informativo**. Revista Administração de empresas, vol. 30. n. 03. São Paulo, 1990.

LEMES, S.; CARVALHO, L. N. **International Accounting for Undergraduates: text, case studies and multiple choice questions**. San Paolo: Atlas, 2010.

LINS, Luiz dos Santos. La **revisione contabile:** un approccio pratico con particolare attenzione alla revisione esterna. - 3. ed. São Paulo: Atlas, 2014.

LONGO, Claudio Gonçalo. **Manual de auditoria e revisão de demonstrações financeiras** - 2. ed. São Paulo: Atlas, 2011.

LOPES, A. B.; MARTINS, E. **Teoria da contabilidade:** uma nova abordagem. São Paulo: Atlas, 2005.

MALACRIDA, Mara Jane Contrera; YAMAMOTO, Marina Mitiyo. **Corporate governance:** livello di divulgazione delle informazioni e sua relazione con la volatilità delle azioni IBOVESPA. Rev. Contabilidade e Finanças, São Paulo, edizione commemorativa, pagg. 65-79, settembre 2006.

MARION, José Carlos. **Analisi dei bilanci:** Contabilità aziendale. 7. ed. San Paolo: Atlas, 2012.

MARQUART, André; ALBERTON, Luiz. **Parere di revisione delle società quotate al livello 1 di corporate governance del Bovespa:** un'analisi di caveat, enfasi e società di revisione tra il 2004 e il 2007. Congresso brasiliano dei costi - Foz do Iguaçú, 2015.

MOREIRA, Felipe Silva; FIRMINO, José Emerson; GOMES, Anaílson Márcio; PAULO, Edilson. **L'effetto dell'adozione dei principi contabili internazionali sulle relazioni dei revisori indipendenti:** Uno studio sulle società quotate alla BMF&Bovespa. RIC - Revista de Informação Contábil v. 9, n. 3, p. 35-53, luglio-settembre/2015.

MOTTA, João Mauricio. **Auditing:** principi e tecniche. 2. ed. São Paulo: Atlas, 1992.

NIYAMA, Jorge Katsumi; SILVA, Cesar Augusto Tiburcio; **Teoria da Contabilidade**. 2 ed. São Paulo; Atlas, 2011.

OLIVEIRA, Luís Martins de; PEREZ JUNIOR, José Hernandez; SILVA, Carlos Alberto dos Santos. **Controllore strategico**. San Paolo: Atlas, 2002.

OJO, Marianne. **Il ruolo del revisore esterno nella regolamentazione e nella vigilanza del sistema bancario britannico**. Journal of Corporate Ownership and Control, v. 5, n. 4, 2008.

PAZ, Elaine da Silva; CRUZ, Rosa Natani da Silva; PERUZZI, Marcelo Henrique de Abreu; **Audit interno x audit esterno:** un'analisi comparativa. Rivista Conexão Eletrônica - v. 12. n. 1. - Três Lagoas, MS, 2015.

PINHEIRO, J. L. **Mercati dei capitali:** fondamenti e tecniche. 3. ed. São Paulo: Atlas, 2005.

Presidenza della Repubblica, **Legge sulle società** n. 6.404/1976.

. Legge sulle società n. 11.638/2007

REIS, Arnaldo Carlos Rezende. **Demonstrações contábeis:** estrutura e análise.3 ed. - São Paulo: Saraiva, 2009.

SÁ, Antonio Lopes de. **Corso di revisione contabile**. San Paolo: Atlas, 2002.

SANTOS, Anderson Civatti; SOUZA, Marcos Antonio de; MACHADO, Débora Gomes; SILVA, Rogerio Piva da. La **revisione contabile indipendente:** uno studio dei pareri emessi sui bilanci delle società brasiliane quotate al Bovespa e al NYSE. Revista Universo Contábil, FURB, v.5, n.4, p. 44-62, 2009.

SANTOS, Ariovaldo dos. **Dichiarazione del valore aggiunto:** - Come preparare e analizzare il DVA. San Paolo: Atlas, 2003.

SANTOS, J. L. dos; SCHMIDT, P. **Contabilidade Societária**. 4. ed. São Paulo: Atlas, 2011.

SILVA, Marise Borba de; GRIGOLO, Tânia Maris. **Metodologia per l'iniziazione scientifica alla pratica della ricerca e dell'estensione II**. Quaderno pedagogico. Florianópolis: UDESC, 2002.
STONER, J. A. F.; FREEMAN, R. E. **Administração**. Traduzione: Alves Calado. 5. ed. Rio de Janeiro: LTC, 1999.

SILVA, Paula D. A.; CAVALHO, Fernanda M.; DIAS, Lidiane N. S.; MARQUES, José Augusto V. C. *Riduzione di valore delle attività a lungo termine*: confronto tra lo SFAS 144 e lo IAS 36. Congresso EAC. USP. 2006. Articoli.

YOSHIDA, Patrícia Mie Miyamoto; REIS, Jorge Augusto Gonçalves; Il **controllo interno nelle aziende**. IX Riunione di iniziazione scientifica latinoamericana e V

Riunione post-laurea latinoamericana - Università Vale do Paraíba, 2005. Disponibile
a:
http://biblioteca.univap.br/dados/INIC/cd/inic/IC6%20anais/IC6-20.PDF, consultato
il 23/09/2016, alle 19:15.

Milton Keynes UK
Ingram Content Group UK Ltd.
UKHW011142010424
440421UK00001B/202

9 786207 301768